科學史上最有梗的20堂物理課

下

40部LIS影片  讓你秒懂物理

胡妙芬——文

陳彥伶——圖

LIS情境科學教材——總監修

郭青鵬——審訂

作者序

幫助孩子培養長久受用的科學探究能力

LIS的宗旨是「Learning In Science」；「讓每一個孩子，擁有實踐夢想的勇氣和能力！」則是我們對教育的願景。我們希望可以透過教材為孩子開啟新的視角，發現科學不僅是一門從生活出發的學科，也是一套理解世界的方式。

我們相信學習本質其實是STEAM或是PISA在談的「解決問題能力」、「批判性思考」和「好奇心」，這才是每一個人一輩子都用得到的能力。因此，我們從科學開始，爬梳科學史的脈絡，將科學家解決問題的思維、方法等過程，開發成獨一無二的創新教材。

我們設計的教材包含影片製作與教案開發。在影片特色方面，會以動畫和戲劇的方式，把科學變得更圖像化且富故事性，所以大家在觀看時可以很容易就進入我們設定的情境，進而引起學習動機。而我們設計的教案，則將影片中科學家發現及產出知識的情境還原給孩子，希望能讓他們在科學史中探究、冒險，最後培養出科學能力。

同理孩子的學習處境，將科學思考歷程具象化

走進科學史的世界裡，會發現課本中的概念與公式，事實上並非為考試存在，而是一套科學家們看待與理解這個世界的思維。其實在開發物理系列教材時，我們也遇到不少瓶頸——這是一門起源於「哲學」的學科，即便有大量的實驗驗證，更多是「腦中」的思想實驗；想的雖然都是力、光、熱等生活可觸及的現象，但理解起來可說是非常抽象！每每「剖」開科學家的腦，細細研讀一番後，會發現自己以前的理解原來還不夠完整，常有不斷被更新的感覺。每部影片都是夥伴們花很長的時間撰寫文本、進行教學，再讓非理工背景的編劇與動畫師充分理解科學概念後，才能完成的。

然而這整個過程中，最難的不是梳理理論演進。如何避免在傳遞知識時，把自己熟知的資訊想得太理所當然而沒有表達出來，才是最大的挑戰。這對沒學過相關概念的觀眾而言，就會對資訊感到疏離、斷裂，而無法連貫吸收。因此我們在製作教材時，必須不斷回到「不懂的狀態」，重新看待這些要給學生看的內容，抽絲剝繭找出哪裡會造成孩子理解困難，小心翼翼運用劇情與動畫來轉化。而這套與親子天下合作的物理系列，也是以這樣的心情誕生的。

書是影片的延伸

再次感謝胡妙芬老師，這次也依然用生動的文字，讓孩子有機會一窺影片中物理學家們精彩故事的全貌；謝謝插畫家彥伶在圖像與版面的用心，讓知識易讀又有趣；還要感謝親子天下的編輯們：欣靜、淳雅，為這本書花了許多的心思，讓愛看故事的孩子，進入科學家充滿好奇心的世界，也讓愛科學的孩子們，透過文圖交織的這扇窗欣賞科學。

最後我們想跟大家說，這套書是一套完全不同於坊間科普童書的作品，結合科學史、科學家人物傳記、科學理論演進歷程等多元面向，還特別設計了能讓大家天馬行空發問的「快問快答」單元。在閱讀時，你可以把它拿來配合我們的影片當作補充資訊，也可以把它視為科普版的「科學通史」，甚至是單純把它當作有趣的科學故事書……這都沒有問題，因為我們相信這套書的內容結合了我們多年的知識結晶，一定能讓大家得到意想不到的收穫！

LIS情境科學教材

推薦序1

從科學探究歷程，有溫度的學物理

你認識幾個物理學家？是不是覺得物理學家都聰明又厲害，彷彿那些困難的問題在他們手中一次就能解決？

從故事拉近你我與物理的距離

對喜歡物理的人而言，物理學家是崇拜的對象；但對討厭物理的人而言，物理學家可是憎恨的敵人：「要不是你們我就不用背這麼多奇奇怪怪的公式了！想到歐姆定律我就想翻臉……」不過當你知道歐姆曾經是個「魯蛇」，38歲無妻無子沒事業難溫飽，卻還要堅持做研究，是不是會有點同情他、覺得有錢可能會好一點？等等，那你認識卡文迪西嗎？人生勝利組、家裡有錢得不得了，他做出許多重要實驗，其中還比歐姆早46年發現歐姆定律——但這些定律卻都不是以他命名，到頭來竟然是個「被孤僻性格（或錢）耽誤的科學家」……

這些課本裡冷冰冰的人名，其實都有自己的性格，彼此間可能有著愛恨情仇、心機權謀。這些偉大的科學家說穿了，與你我相同。物理也是這樣的，看起來雖有距離，卻始終源於生活，那些研究與發現也會進一步影響我們的生活。沉浸在這些情節，同時又能跟著科學家的眼光觀察，並且由淺入深、漸進有條理的學習物理，就是《科學史上最有梗的20堂物理課》精彩之處。

從情境讓定理立體化而好消化

這套書呈現科學家的日常以及科學探究的歷程，每堂課都帶著你搭上時光機回溯不同年代，近距離了解他們的思考方式。你會發現科學沒你以為的那麼嚴肅。

想像一下你突然降落在這個場景：某個無辜的小男孩被懸吊在空中，旁邊有助手操作著奇怪機器、還有看起來像是祭師的人拿玻璃棒碰觸男孩。接下來男孩身上開始黏上小紙屑，手指還能隔空讓書本翻頁！不，這不是邪教儀式，只是與靜電感應現象相關的一幕（本套書第11課）。我同意，科學實驗有時看起來真的有點像邪教活動，這其實是探索物理未知領域時有趣的一環。書中向讀者揭露許多科學研究的意外與樂趣，讓物理定理立體而好玩。

跟著理論的誕生歷程走一回，其實就能自然而然的記住核心物理概念。再舉個例子：假如你不幸掉進一間牢房，跟個奇怪的阿拉伯人關在一起，你看他面向外頭喃喃自語，便跟著他觀察光透過小縫照進牢房，藉由顛倒的影像發現針孔成像——一起領悟光的「射入說」比「外射說」更接近真實。這個人的十年牢獄成就厚達七卷的光學書，為科學發展奠基。他的全名長到你記不住，好險可以簡稱「海什木」。試想，這段經驗是不是比你死記「上下顛倒、左右相反」的針孔成像口訣來得生動？（本套書第3課）透過這套書以及LIS團隊精心拍攝的影片來學習，你不用真的進牢房，也不用困在任何偉大科學家遭遇的難關，就可以一步一步領略物理的天堂。

這些令人讚嘆的物理定律，都是貨真價實的「人」發現的，了解科學家們探索科學的歷程，定理公式便有了溫度。在時光機還沒有發明之前，不妨藉由這套書帶領你進行一趟時光之旅，體驗學習科學的樂趣！

朱慶琪

中央大學物理系副教授兼科學教育中心主任

推薦序2

在科學中時常抱持懷疑精神

古希臘哲學家亞里斯多德寫出世界上第一本《物理學》，雖然為探索物理現象起了個頭，但他的某些觀念卻成為科學發展的巨大阻礙。牛頓脾氣有點古怪，直到受好人緣的好友哈雷鼓勵與贊助，才將「牛頓三大運動定律」、「萬有引力」等重要內容，寫成曠世巨作《自然哲學的數學原理》。不管是前者或後者，他們的物理學著作不僅深深影響日後科學研究，甚至也改變了人們的生活。

如今在二十一世紀的臺灣，這套《科學史上最有梗的20堂物理課》梳理了過往物理發展，承接過去的重要觀點，也將會深刻影響這塊土地上的物理教育。這套書分上、下兩冊，每冊共10課，從西元前四世紀的亞里斯多德揭開序幕，一直講述至近代二十世紀愛因斯坦、德布羅意，是部時空橫跨超過2400年的物理發展史。

從科學家的辯證釐清物理概念

書中著重科學歷史脈絡的論述方式，讓我眼睛為之一亮。每個章節中都針對不同的物理觀念說明發展經過，其中若遇到物理大師們想法、派別相異的段落，書中呈現出分庭抗禮的論辯過程更是精彩，例如：熱質說VS熱動說、難解的電磁曖昧關係，以及光到底是粒子還是波動的糾結故事。書中不會先講結論，而是將歷史上科學家們各自的想法都說清楚，再一起探討實驗證據，看看誰對誰錯。這種做法很適合讀者融入情境思考，想想如果自己是當時的科學家會怎麼做，同時也能跟著書中人物來回修正假設，一同找到最佳的解答。

書中提到波動說和粒子說時，有一段是這樣寫的：「不知道你有沒有注意到？贊成光是純粒子的一派，幾乎無法否定對方的實驗有錯；同樣的，贊成光是純波動的一派，也只能證明光有波動性質，無法挑出光是粒子的實驗有什麼大毛病……」後續便提到光其實具有「波粒二象性」的概念和相關研究。這種引導是很棒的訓練，能讓讀者在理解與探索科學時，保持懷疑與辯證的能力，除了吸收書中史實和科學知識外，這樣的思辨力也非常可貴。

這套書還有幾個值得一提的地方：帶有引導提問元素的「快問快答」單元；這些問答設計結合主文中的要點，協助讀者培養出整合、延伸內容等高層次的思考能力，進而達成探究學習。每章節還加入許多很有梗的插畫，最後更附上LIS影音頻道的連結，這些元素都能寓教於樂，提高讀者對物理好奇心及學習動機。

我從小就對物理抱持相當濃厚的興趣，之後不管求學或教學始終保持初衷、熱愛探究大自然界的各種現象——但這一套《科學史上最有梗的20堂物理課》卻能令我驚豔，提供我新角度深入探索物理發展的面貌，有機會更深切的理解這些大名鼎鼎的物理學家及他們研究的脈絡，受益可謂良多，是一部不可多得的科普書籍，特此推薦這套書給大家。

郭青鵬

臺北市立蘭雅國中數理資優班專任教師

物理史關鍵年表

（以理論發現順序排序）

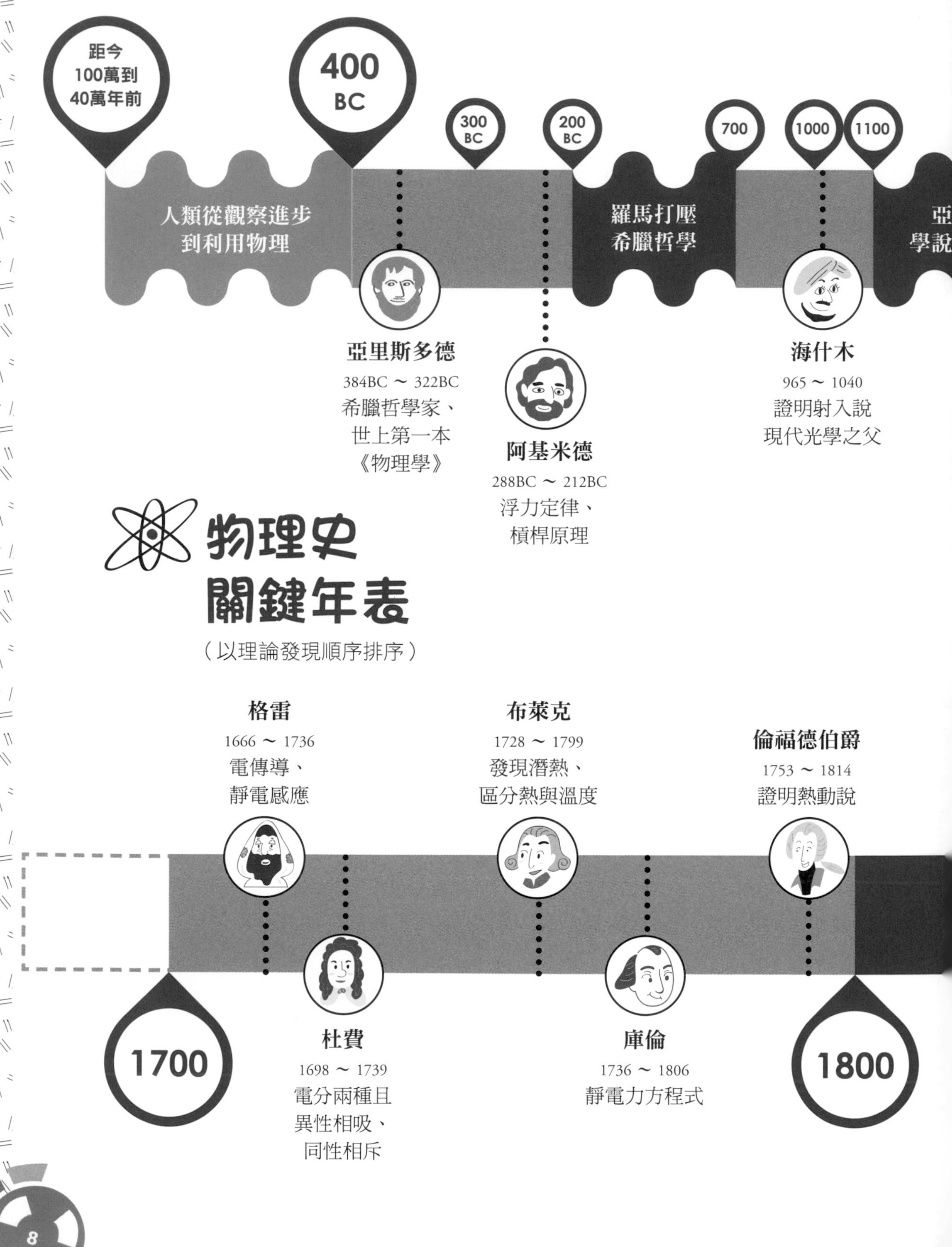

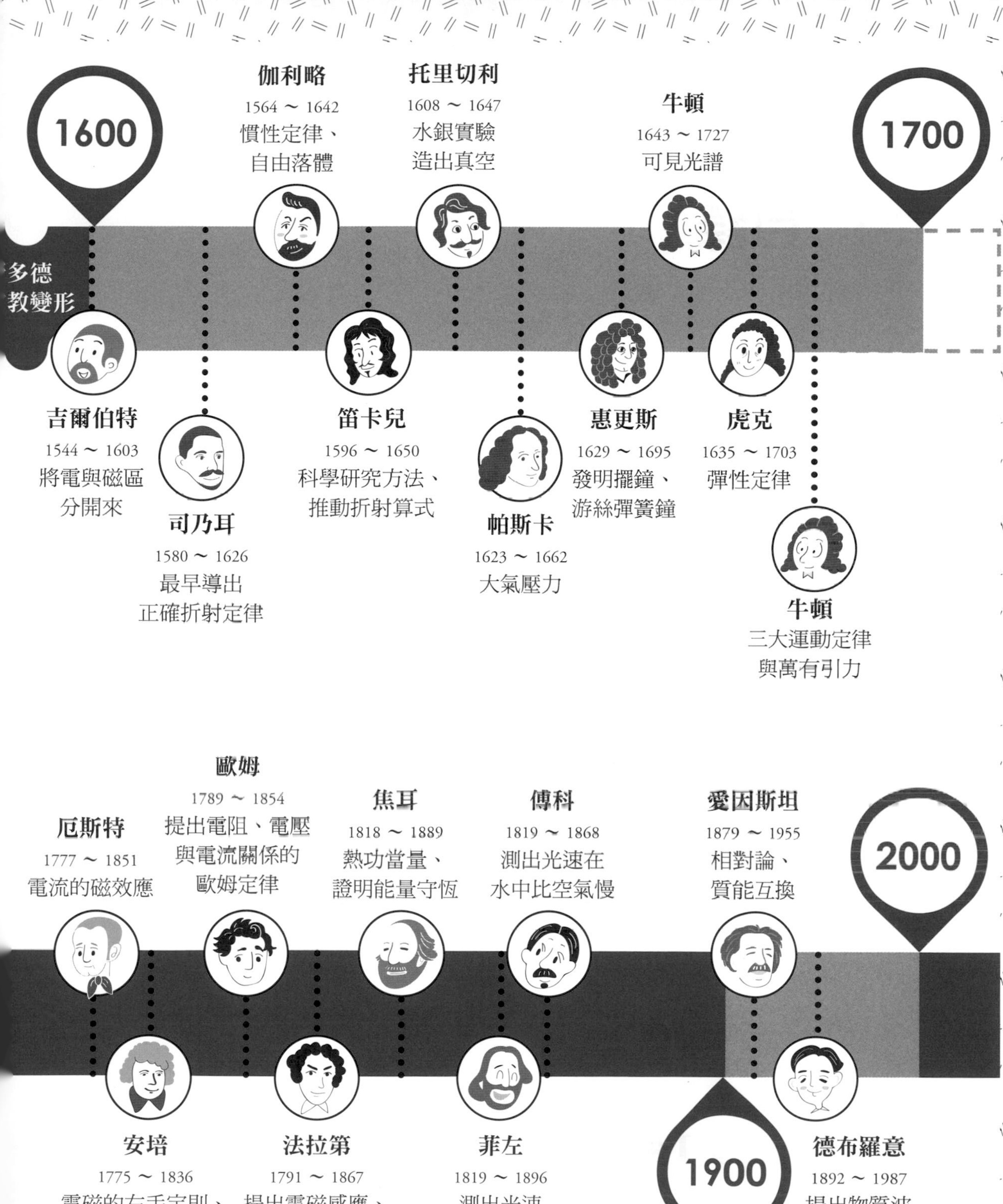
1600
1700
伽利略
1564 ～ 1642
慣性定律、
自由落體
托里切利
1608 ～ 1647
水銀實驗
造出真空
牛頓
1643 ～ 1727
可見光譜
多德
教變形
吉爾伯特
1544 ～ 1603
將電與磁區
分開來
司乃耳
1580 ～ 1626
最早導出
正確折射定律
笛卡兒
1596 ～ 1650
科學研究方法、
推動折射算式
帕斯卡
1623 ～ 1662
大氣壓力
惠更斯
1629 ～ 1695
發明擺鐘、
游絲彈簧鐘
虎克
1635 ～ 1703
彈性定律
牛頓
三大運動定律
與萬有引力
歐姆
1789 ～ 1854
提出電阻、電壓
與電流關係的
歐姆定律
厄斯特
1777 ～ 1851
電流的磁效應
焦耳
1818 ～ 1889
熱功當量、
證明能量守恆
傅科
1819 ～ 1868
測出光速在
水中比空氣慢
愛因斯坦
1879 ～ 1955
相對論、
質能互換
2000
安培
1775 ～ 1836
電磁的右手定則、
分子電流
法拉第
1791 ～ 1867
提出電磁感應、
發明電動機
菲左
1819 ～ 1896
測出光速
1900
德布羅意
1892 ～ 1987
提出物質波

本書特色

這是一本結合科學史、科學理論解析，以及科學家人物故事的超有趣科普書。

1 故事主文會告訴你重要的物理理論是怎麼出現及演進歷程。

2 人物專欄要帶你認識眾多科學家不為人知的祕辛。

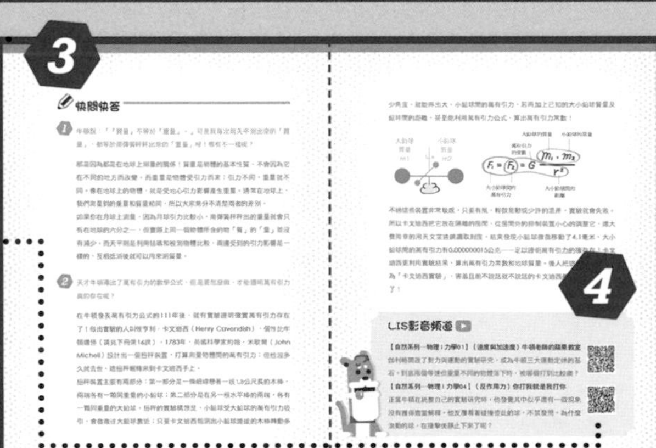

3 「快問快答」單元專門回答你對物理的疑難雜症。

4 跟著「LIS影音頻道」掃描QR Code，就能看到相關影片，學習更全面。

出場人物

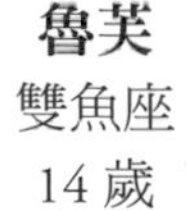

魯芙
雙魚座
14 歲

凡事認真，愛笑又愛哭的中學女生。喜歡物理，但偶爾還是會被物理理論卡住。這學期終於等到科學史研究社的LIS老師開講物理，趕緊拉著好友嚴八一起參加，她等不及想知道物理學家的故事了。

LIS老師
天秤座
年齡不詳

科學史研究社的社團老師，喜歡自己的鬈髮，是個性浪漫的科青，也是文青。上回聊化學史大受好評，這學期打算繼續用說故事的方式讓學生愛上物理。

嚴八
射手座
14歲

滿臉雀斑的大男孩，討厭考試與教科書。參加科學史研究社已經一個學期，開始相信「聽故事就能喜歡科學」，但老是跟著魯芙聽課，已經分不清自己究竟是喜歡科學還是喜歡魯芙。

歡迎大家再度來到
科學史研究社。
我是LIS老師。

接下來，我們要一起探索電磁、
熱、能量等物理奧祕……

熱嗎？我有！
我有滿滿熱情！

是啊！一邊聽歷史……
同時也是一邊學物理喔！

又有好玩的歷史故事
可以聽了！

第11課

相吸相斥誰知道？

格雷 & 杜費

大家看，這是
靜電感應的現象。

哈哈
嚴八帥喔～

回想跨入十七世紀的第一年，英國女王的御醫吉爾伯特成功的把「電」與「磁」區分開來（請見上冊第5課）、創造出「電」這個全新名詞以後，電與磁的命運就此走上不同的道路。因為當時，歐洲正處於大航海時代，地球磁場和磁針的研究關係到航海安不安全、能不能搶到殖民地、有沒有辦法賺大錢；所以關於「磁」的研究可是熱鬧滾滾，而關於「電」呢？卻冷冷清清，不太有人關心。

再加上，電比磁讓人更難捉摸；磁石可以拿在手上做研究，但是用布摩擦琥珀產生的靜電，電量卻少得可憐，又很快就消失不見，根本不可能進行什麼科學實驗。除非……

沒錯。除非有人發明能「大量」起電的裝置，科學家們才有足夠的電量可以操作、推動研究往前邁進；否則電學的進展只能在原地打轉，繼續被磁學拋在腦後，落後幾百年的光景。

但沒想到的是，這個「除非」在某個有點烏龍的情況下，還真的就發生了。

世界第一部摩擦起電機

還記得那位，因為馬德堡半球而紅透半邊天的馬德堡市長——奧托·馮·格里克（Otto von Guericke）嗎？（上冊P97）1660年的某一天，他想證明「地心引力」乃是因為地球四周聚集著某種「星際精氣」，於是用「硫磺」做成「地球」模型，以木棒為軸心模擬「地球自轉」。結果當他一手轉著木軸、帶動球體，一手摸著硫磺球時，硫磺球果然發出「吸引力」，把周遭的羽毛、枯葉全吸過來！

「難道，這種吸引力就是地球發出的『地心引力』？」當時的人的確很容易把地心引力、靜電力、磁力這類的超距力混淆在一起，但這位市長既熱愛科學又很英明，很快就發現這是靜電力，不是地心引力！

摩擦起電機的工作原理

格里克把硫磺粉碎、熔化後，灌進玻璃球，中間插入木軸；等到硫磺冷卻後，再把玻璃敲掉，成為一顆「硫磺球」。當硫磺球快速轉動時，只要用布或手摩擦它，就能產生電的火花。

地球引力?
靜電力?
奧托・馮・格里克
1602～1686
德國物理學家

靜電只會吸引，不會排斥？

世界第一部「摩擦起電機」，就這樣陰錯陽差的誕生了。往後，人們只要轉動摩擦起電機，就能產生足夠的電量來進行科學實驗，電學突飛猛進的時代也終於跟著到來。但是許多科學家實際使用以後，卻發現一個奇怪的現象，不知道如何解釋：因為根據過去的經驗，人們一直以為靜電只會「吸引」，不會「排斥」；但是使用摩擦起電機後卻發現，被帶電硫磺球吸引的羽毛，只要觸碰到硫磺球以後，就會從「吸引」瞬間變成「排斥」，這究竟是為什麼？要如何解釋這種奇特的現象呢？

科學家們只好繼續在摩擦現象裡尋找答案。有六十年那麼長的時間裡，沒有人知道解答。電學的道路就像被困在混沌的黑暗之中，久久見不到清明的光亮。直到多年過後，人們好像早已習慣漫長的黑夜之時，曙光才在一個幾乎被世界遺忘的昏暗小房間裡，慢慢升起。

卡爾特修道院的導電實驗

史蒂芬・格雷
1666～1736
英國染匠、業餘科學愛好者、物理學家

1666年，格里克發明摩擦起電機的後幾年，史蒂芬・格雷（Stephen Gray）誕生在英國肯特郡的一個染匠家庭裡。小格雷對科學很感興趣，但是家裡的經濟並不寬裕，所以上了幾年學之後，就跟著爸爸當起染坊的學徒來。

小格雷

在那個年代，「科學」還是一種奢侈品，往往只有貴族或富有人家才有能力培養科學研究的嗜好；但是格雷無法忘卻對科學的熱情，所以他除了自學之外，刻意交了許多富有的朋友，好利用交情到朋友家裡的私人圖書館或實驗室，才能藉此親近科學。

剛開始，他對天文學最感興趣。靠著自己磨製鏡片、觀察太陽，得到天文學家佛蘭斯蒂德（John Flamsteed）的賞識。年輕的格雷從此成為佛蘭斯蒂德的研究夥伴，協助他天文觀測和數學計算的工作。

但是這份友誼並沒有為格雷帶來好運。因為佛蘭斯蒂德為了一批天文數據，跟當時最權威的皇家學會主席牛頓鬧翻；所以在接下來的十幾年裡，牛頓「恨烏及烏」，不但把格雷當成佛蘭斯蒂德的同黨，不肯接受格雷，還影響其他科學家們也排擠格雷。

約翰・佛蘭斯蒂德

1646～1719

英國首任皇家天文學家

無辜捲入派系鬥爭的格雷，最後只好回老家，重新做起染坊工人；後來，又因為健康惡化，以及一連串的變故，淪落到住進卡爾特修道院裡，靠著修道院的養老金救濟，勉強度過餘生。

看到這裡，格雷不得志的一生似乎已經走到了盡頭。但是奇妙的是，就在這個被外界遺忘、一片死寂的修道院裡，又老又窮的格雷，才真正展開了他的科學人生。

在當時，人們只知道靜電會「吸引」，卻不理解為什麼羽毛被靜電球吸住之後，會突然變成「排斥」。格雷對這個現象好奇不已；幸好他身邊還有玻璃管、布、金屬線這些簡單的東西，所以儘管困苦潦倒，依然能在幽暗的修道院小房間裡，認真的獨自研究起來；並把那些摩擦能生電的材質，像毛皮、絲綢，稱為「電物體」；而那些摩擦後不會生電的則稱為「非電物體」，例如金屬線。

這天晚上，他為了防止水分和灰塵跑進玻璃管裡，特別用軟木塞把玻璃管的兩端套起來；接著才用布摩擦玻璃管，準備使玻璃管「摩擦生電」，吸引穀糠和小紙片。但是一個奇怪的景象，吸引了他的注意力：

「咦？是我老眼昏花了嗎？」他揉了揉自己的眼睛。

「我又沒有摩擦軟木塞，軟木塞怎麼也帶電了呢？」他看到紙片被軟木塞吸引，心裡覺得很納悶。所以他重試了好幾次，軟木塞上確實帶電，明顯對紙片和羽毛有吸引力。

他決定把軟木塞「延長」，看看會發生什麼事。他用木棍的一端插進軟木塞，另一端插進象牙球，結果一摩擦玻璃棒發現，不只玻璃棒、軟木塞，就連遠在木棍一端的象牙球都能吸引羽毛！

「看來，『電』好像不是靜止不動的，它們會被某些物質傳送出去，所以軟木塞、象牙球才會帶電。」他知道自己的推論如果是對的，將是一個重大的發現。因為當時人們以為「電」是「靜態」的，並不知道電會在各種物質之間傳送，也就是「電傳導」的存在。

老格雷玩心大起，先利用麻繩當導線擴大實驗。他的房間很小，所以他把腦筋動到樓下的花園。結果他發現即使實驗起點在樓上，一樓的象牙球仍然能吸引枯葉。「太驚人了！原來電會傳導！我要找朋友一起做實驗，看看靜電到底能傳到多遠！」格雷的眼睛重新燃起青春的火焰。

於是格雷前往拜訪英國皇家學會的會員惠勒（Granville Wheler，1701 - 1770）牧師；兩人興奮的在惠勒的大莊園裡忙進忙出，改良導線和支撐方法，把電導進庭園、穿過草地，傳送到230公尺外的地方。他們發現，傳送電的時候要小心的用絲線把「導線」懸吊起來，免得導線一接觸到地板或牆壁，就會把電「洩」光；而且如果用「非電物質」懸吊導線，反而更容易讓電流失——其實正是金屬線這樣的材質，才可以將電力傳導到很遠很遠的地方。

惠勒立刻向皇家學會報告這個實驗結果，格雷也迫不及待寫信告訴友人德薩古里耶（John Theophilus Desaguliers，1683 - 1744）。德薩古里耶很擅長把科學實驗設計成華麗的「科學表演」，在上流社會的社交場合演出。他為格雷把那些會傳導電的物質，例如金屬，命名為「導體」（conductors）；那些無法導電的則稱為「絕緣體」（insulators）。

查爾斯·弗朗索瓦·德·西斯特納·杜費
1698～1739
法國科學家

這些實驗吸引了兩名科學愛好者，遠從法國跨海來參觀。其中一人名叫杜費（Charles François de Cisternay Du Fay），跟格雷一樣是「業餘」的科學愛好者，但差別是他在皇家花園裡擔任管家，所以有錢有閒可以從事自己喜好的科研工作。杜費回到法國也跟著格雷做起電的實驗。

他發現，摩擦後的玻璃棒與玻璃棒會互相排斥，琥珀和琥珀也一樣；但奇怪的是，玻璃棒和琥珀之間卻會互相吸引。於是他利用玻璃棒和琥珀測試其他物品，發現會和玻璃相吸的，就會和琥珀相斥；而會和玻璃相斥的，就會和琥珀相吸。所以經過仔細分析，他提出一個全新的理論——

電有兩種，
一種是「玻璃電」，
一種是「琥珀電」。

而且同性會相吸，
異性會相斥。

琥珀電

玻璃電

玻璃電還包括水晶、寶石、動物皮毛；琥珀電還包括松香、絲綢、紙張。琥珀電也被稱做松香電。

這麼一來，格雷的實驗再加上杜費的發現，人們終於解開「為什麼羽毛受帶電的硫磺球吸引、接觸後反而會排斥」的問題了。這個現象的解釋原來是——

格雷

杜費

羽毛被帶電的球吸住時，球上的靜電「傳導」到羽毛上。

羽毛與球因為帶著同種電荷，所以「同性相斥」。

羽毛排斥的科學懸案，經過這麼多年後終於真相大白了。

終於，格雷因為他對電傳導的重大發現，而受到皇家學會的認可。（這時，主導整個學會的牛頓已過世；皇家學會的主席換人了。）但是格雷仍舊無福接受這遲來的認可，因為這時候的他太窮了，窮到連加入英國皇家學會的會費都付不起！

靜電感應的飛行男孩

而格雷發現「電傳導」以後，更進一步發現，帶電物體能在沒有接觸的情況之下，使靠近自己的物體帶電，這就是「靜電感應」的現象。

他為此設計出著名的「飛行男孩」實驗。把一個八歲的小男孩用絕緣的絲綢線「掛」起來，就像在空中「飛行」一樣，然後用摩擦後生電的玻璃管碰觸男孩的腳，結果男孩的臉和手竟然在沒有直接碰觸的情況下，使穀殼、紙張也「感應」生電，能互相吸引，甚至隔空吸起其他輕巧的碎屑！

玻璃管將電傳導給男孩，男孩身上的電隔空讓輕巧的紙屑感應帶電、向男孩飛去。

為什麼是我？
這就是格雷的飛行男孩靜電感應實驗。

德薩古里耶搶盡風頭

這番景象，在當時就像魔術表演似的，引起很大的轟動。德薩古里耶把「飛行男孩」改編成華麗而有趣的科學表演，在歐洲各地的大眾面前演出。德薩古里耶聰明的在表演裡加入戲劇化的橋段，要求帶了電的飛行男孩，用手指靠近書本一揮！書本立刻神奇的隔空自動「翻頁」！然後他故意把室內的光線調暗，請一個觀眾上前來，用手指觸摸男孩的手指，觀眾的手會馬上觸電，甚至啪一聲冒出明亮的火光！這些神奇的現象常常逗得觀眾叫出聲來，娛樂效果超好，給大眾留下了深刻的印象。

於是就這麼經過一段時間以後，德薩古里耶的知名度遠遠勝過格雷。一般人講起電的傳導與感應時，想到的是德薩古里耶，而真正發現這些現象的格雷反而受到大家忽略。

我是德薩古里耶，不是格雷，不要搞錯了！

所以，1736年格雷過世的時候，既沒有雕像，也很少被人們提起；不少人甚至錯把德薩古里耶的肖像當成格雷的肖像；而格雷呢？那個發現電傳導與靜電感應的重要科學家，卻連一張像樣的肖像都沒有留下。

快問快答

杜費把電荷分為玻璃電和琥珀電，富蘭克林為什麼硬要改成正電和負電呢？這樣是不是對前輩不夠尊重啊⋯⋯

誤會啊～單純是富蘭克林發展出不同的理論的緣故喔。杜費認為電可分成玻璃電和琥珀電兩種流體，是「雙流體理論」。但富蘭克林研究後認為電流體應該只有一種：當物體內的電流體多於外界時，他稱為「正電」，比外界少時，稱「負電」；雖然後來證明跟富蘭克林原先設想的不同，但他提出的「單流體理論」還是對電學有重大貢獻。

2 我還是不懂飛行男孩的靜電感應現象，能不能再解釋得清楚一點？

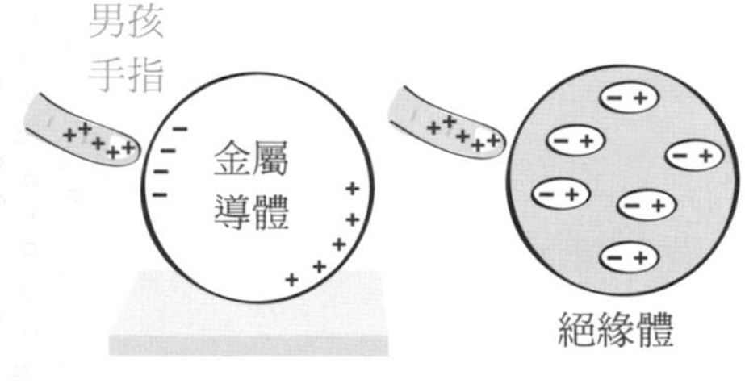

當帶正電的飛行男孩手指靠近物體時，負電會被手指的正電吸引過來，使物體不同側因電荷集中而有帶電效果，能吸引其他物體，這就是靜電感應。只是金屬導體內的電子可自由移動；而飛行男孩實驗中常用的紙片是絕緣體，裡面的電荷只能稍微錯開，不過帶電量還是足以吸引其他輕薄的紙屑。

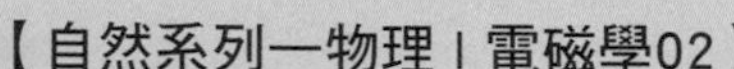

【自然系列—物理 | 電磁學02】

（導電性） 親愛的，我把電放到你身上

英國紳士格雷和夥伴杜費透過吸引花瓣實驗，推測金屬有容易「讓電流通過」的特性，非金屬卻不如此！

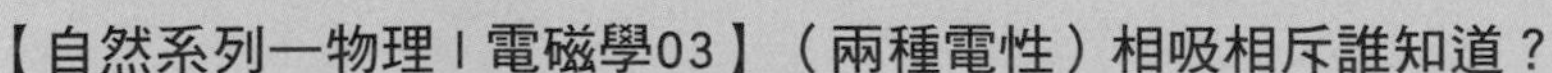

【自然系列—物理 | 電磁學03】（兩種電性）相吸相斥誰知道？

繼格雷發現電可以傳導的特性後，杜費摩擦各種物體，發現電其實有兩種！終於能解釋「羽毛」和「集電器」接觸後相斥的現象。

第12課

電力知多少？

庫倫

大家猜猜看，
這兩個公式哪裡一樣？

$$\frac{KQq}{r^2}$$

$$\frac{GMm}{r^2}$$

我知道……
一樣很難！

要說十八世紀是一個「電學」的世紀，一點都不為過。因為緊接著電傳導、靜電感應，還有兩種不同電性被發現以後，能夠「儲存」電力的「萊頓瓶」，也在1745年問世了。

大家別小看萊頓瓶，雖然看起來是簡單的玻璃罐，加上一根銅棒和內、外兩層錫箔紙，但萊頓瓶的出現可是人類物理史上的一大躍進。因為在此之前，人類只懂得摩擦生電，卻沒辦法「儲存」電力；現在有了萊頓瓶，可以把大量的靜電累積、儲存起來備用，人們可以進行的電學活動就更廣泛多樣，也更普遍了。

我發明了「萊頓瓶」，
最早在萊頓地區使用，
所以叫做萊頓瓶。

彼德·馬森布羅克
1692～1761
荷蘭科學家

萊頓瓶

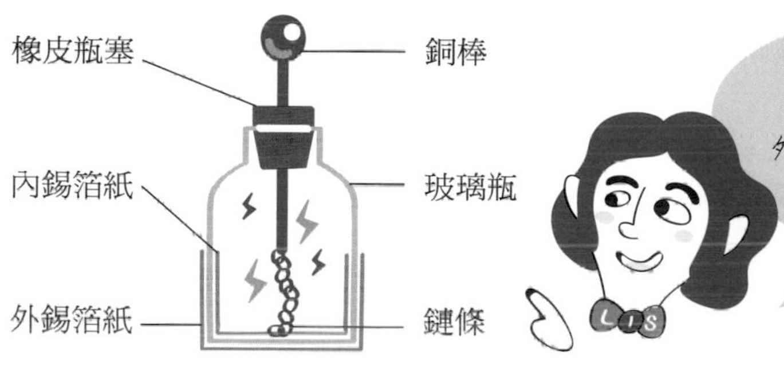

橡皮瓶塞
銅棒
內錫箔紙
玻璃瓶
外錫箔紙
鏈條
將萊頓瓶的球形電極接上靜電產生器，外層錫箔則接地，這時瓶子內、外部的金屬，就會攜帶相等但極性相反的電荷，這樣一來電就能被存進瓶中。

新奇的電變成娛樂表演

當然，不是每個人拿到萊頓瓶，都想嚴肅的鑽研電的本質和電的科學特性。在那個沒有電視和網路，娛樂節目極其稀少的年代，科學家發現的「電」，竟然變成時髦的餘興節目；想像一下，看著電學家用萊頓瓶電死老母雞，或是讓幾百個手牽著手的修士同時觸電跳起來，是多麼不可思議又好玩的事啊。當時歐洲甚至出現一種叫通電人（electrifier）的新興行業。通電人會帶著摩擦起電機或萊頓瓶，在大街小巷巡迴演出；從最廉價的市場表演「電一次，一先令」，到高級沙龍裡給男男女女嚐鮮的「來電之吻」，都讓那個年代的人們感到新鮮，爭先恐後想嚐嚐那種「被電到的神奇瞬間」。

在十八世紀的宴會上，宴會主人經常雇用通電人帶著圖中的起電機娛樂賓客。通電人請女士站上絕緣的木凳，然後轉動起電機在女士身上累積靜電，等男士用唇親吻女士時就會啪一聲觸電、冒出火花。這在當時是非常新奇的遊戲，經常逗得來賓哈哈大笑。

魯芙你當電學家，
我當通電人就好。
人各有志，
兩種行業都很不錯。

電學發展遇到阻礙

當然，這些「通電人」不像科學家飽讀電學知識；他們只在意如何娛樂大眾、賺得荷包滿滿，並不關心電學的研究發展。反過來看，在真正的電學家眼中，這些高人氣的通電表演顯得貧乏無聊。因為這些「定性」的現象，像是電會吸引與排斥、會傳導與感應、甚至起火花，電學家們都老早就知道了；至於「電荷與電荷之間的力」如何「定量」，也就是「靜電力到底有多大？」，才是電學家們有興趣探索的事。

要測出電荷之間的靜電力，比設計娛樂節目難上好幾倍。因為電力非常微弱，比起生活中的各種力都小很多，以當時常用的量測工具例如天平、彈簧秤，都很難精準的測量出來。

受萬有引力啟發的電研究

1755年，美國電學家富蘭克林（Benjamin Franklin），做了一個「空罐」實驗。他讓一個空的金屬罐帶電，然後用絕緣的絲線吊著一顆軟木球，小心的伸進空罐內，結果發現，軟木球一點動靜也沒有，感覺電荷只分布在空罐的「表面」，至於空罐的「內部」則好像不帶電，對軟木球完

全沒有吸引力。

富蘭克林寫信把這個發現告訴遠在英國的一位朋友——卜利士力（Joseph Priestley）（沒錯，就是發現氧氣的那一位，有興趣的人請參見《化學課》上冊P67），希望卜利士力也抽空做個實驗，幫忙驗證一下。結果，卜利士力不但使命必達，證實了富蘭克林的實驗結果，還進一步提出一個想法：

「電荷之間的吸引力或排斥力，會不會像物體間的萬有引力一樣，都符合『平方反比定律』，也就是電力與電荷間的距離平方成反比呢？」

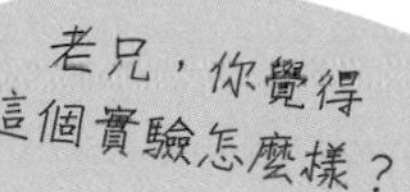

老兄，你覺得
這個實驗怎麼樣？

嗯，我覺得跟
萬有引力好像……

班傑明．富蘭克林
1706～1790
美國政治家、電學家

約瑟夫．卜利士力
1733～1804
英國牧師、化學家、教育家

因為牛頓在1687年證明，如果萬有引力符合平方反比定律，則均勻的空球殼對殼內的物體就沒有作用。卜利士力發現，富蘭克林的空罐實驗，很類似這個現象。

卜利士力根據實驗提出的這個論點，終於對電力大小的研究正式起了個頭。只是為什麼明明是電力，卜利士力還硬要把它跟萬有引力的公式牽扯在一起？而且這麼做的不只有他，早在卜利士力之前，德國的埃皮努斯（Franz Ulrich Theodor Aepinus，1724－1802)、瑞士的白努利（Daniel Bernoulli，1700－1782）和其他許多學者，都曾提出類似的想法。關於這一點，我們要回到當時的大時代背景，跟科學家們集體崇拜的超級偶像有關係。

這個超級偶像不是別人，正是脾氣有點拗、在科學界人緣不好，卻提出三大運動定律、又發現萬有引力的大科學家——艾薩克．牛頓。牛頓運用數學和理性的方式，甩開宗教和神祕學，充分解釋世界萬物之間的運作規律，被認為是科學革命的代表。這場革命更在其他領域掀起「啟蒙運動」，希望將科學的「理性」精神，用在政治、社會、藝術，甚至宗教之上。

總之在當時，牛頓就如同神一般的存在，許多人因此認為神人提出的萬有引力，應該可以解釋一切「隔空吸引的力」（也就是我們現代所說的「超距力」）吧，像是電力、磁力。所以計算「靜電力」的公式應該也會跟「萬有引力」一樣，符合同樣的規律。

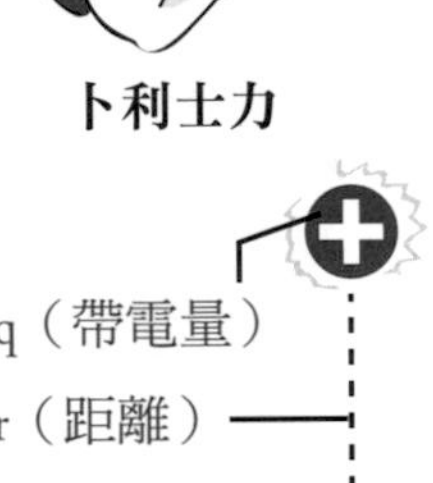

卜利士力

換句話說，在還沒能用實驗證明之前，不少科學家就已經先入為主的「相信」，只要利用神人牛頓的萬有引力公式，把「質量」換成「電量」，就可以計算電荷之間的靜電力——

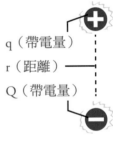

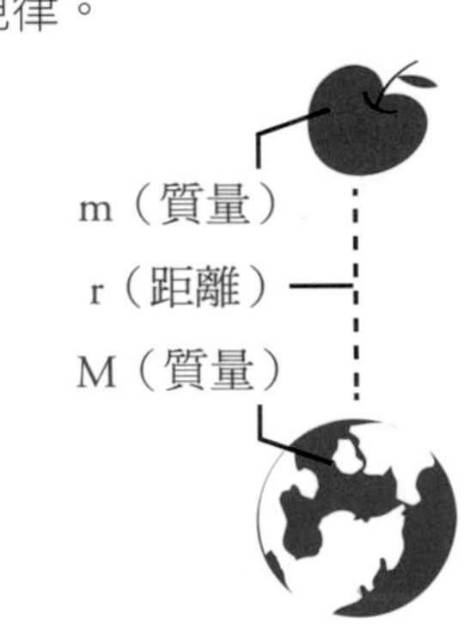

$$\text{萬有引力} = \frac{GMm}{r^2} \rightarrow \frac{KQq}{r^2} = \text{靜電力}$$

只不過講講容易，真要做出實驗來加以認證，可沒那麼簡單。因為老問題：當時還沒有適當的工具，要測量電荷的電量（上方公式中的Q和q），和微弱的靜電力，都是不可能的任務。直到有一位名叫「庫侖」（Charles-Augustin de Coulomb）的軍官辦到了，但是他真的能「完美」證明，靜電力公式跟萬有引力具有相同規律嗎？以下就讓我們一起看看，庫侖、扭秤與庫侖定律的故事。

電扭秤與 0.04的誤差

夏爾・奧古斯丁・德・庫侖
1736～1806
法國軍事工程師、物理學家

1736年，庫侖出生在法國南方的安古蘭城。他的母親非常重視孩子的教育，而年輕的庫侖拜倒在數學的魅力之下，曾立志成為數學家。可惜，他的父親投資失敗，無法負擔昂貴的大學學費，於是庫侖毅然決然選擇從軍。因為進入軍隊不但有月薪可領，還能夠免費就讀軍隊的附設大學，完成他想學習微積分、水利學、力學和工程學等夢想。

1759年，庫侖成為軍隊裡的工程師，並被派往西印度群島擔任技術軍官，率領一千多名工兵在外島興建防禦工程。島上的生活非常克難，許多士兵染病死亡，就連庫侖也不支倒地好幾次，差點魂歸異鄉。不過這段期間使他鍛鍊出深厚的實力，在結構力學、土壤學、化學、應用力學方面都打下扎實的基礎。1772年，當三十六歲的庫倫因為過度勞累病倒，軍方不得不將他調回法國本土休養時，他已經是一位身經百戰、經驗豐富的力學大師了。

那個時候，由於船舶航行的需要，法國科學院提供一筆獎金，獎勵能找出指南針與磁力之間規律的人。當時的人們已經知道「同極相斥，異極相吸」的現象，就像電荷之間一樣。但是磁極與磁極之間、電荷與電荷之間，究竟有多少力？其中的規律是什麼？都還沒有人能說得清楚。

於是，庫侖在國家的需求與科學號召之下，開始用自己的力學知識研究這些問題。他一開始探討的是「磁力」，把磁鐵分為兩種磁核，而且不免俗的，也認為磁核之間的作用力符合偶像牛頓「萬有引力定律」的規律。後來他更把興趣延伸向同屬超距力的電力。

「那麼，電荷與電荷之間的規律呢？我想……也跟萬有引力差不多吧？」他心裡想。

只是，如果要把萬有引力公式中的「物體質量」換成「電量」：

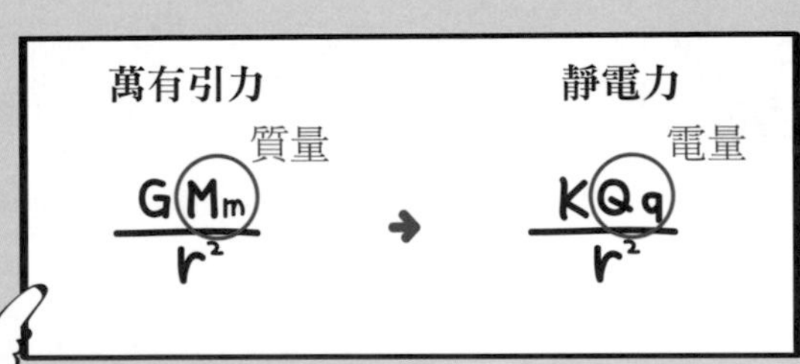

他必須克服兩個難題。一個是Q和q，也就是電荷的電量，無法像物體的質量一樣用天平和砝碼就能測得。另一個問題則是靜電力太微弱，也同樣具有量測的困難。

還好，關於測量電量的問題，他在軍中進行工事的過程中，曾經發現物體的帶電量會使彼此扭轉的角度改變，於是他很快找到了突破的方法——他把一條帶負電的布條掛起來，用兩顆相同的鐵球A球和B球做測試。他發現，讓Ａ球帶電、靠近布條時，布條會被排斥；當不帶電的Ｂ球靠近時，布條則沒有反應。但是Ａ球與Ｂ球接觸後，布條被排斥的幅度竟然下降了一半！而且Ａ球和Ｂ球排斥的幅度是一樣的！

① A球有電，布條被排斥

② B球無電，布條不動

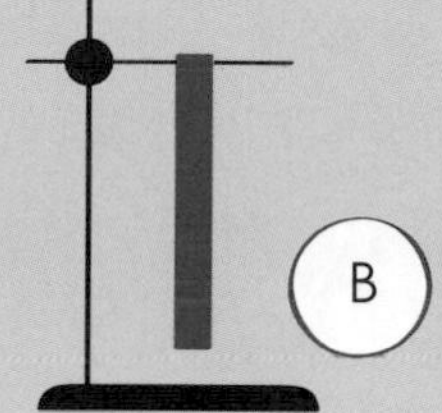

③ A球碰B球，電量均分

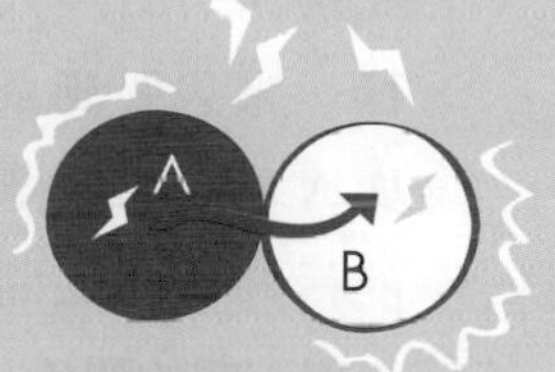

④ A球和B球分別靠近布條，布條被排斥的幅度減半。

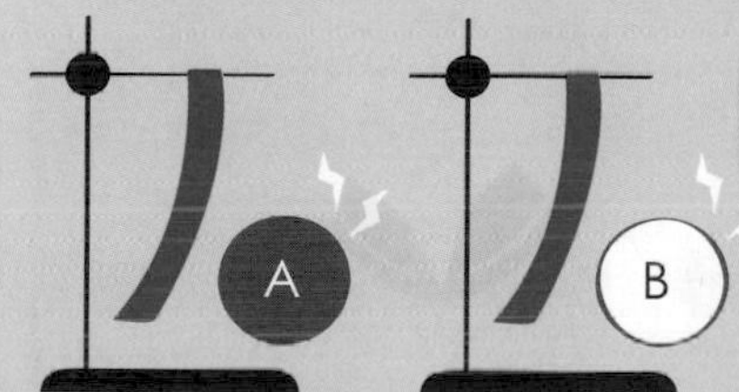

所以庫侖認為，帶電物體與不帶電的物體接觸時，電量會被平分一半。藉著這樣的規律，他用1、1/2、1/4、1/8……等不同帶電量的物體測試帶電布條被排斥的程度，結果發現，帶電量越多，靜電力就越強；而且「靜電力與電量的乘積成正比」！

「呼～靜電公式的兩大難題，先是解決了一個。」庫侖心裡放下一塊大石頭，但是他知道事情還沒完：「接下來，就是電力與距離平方成反比關係的問題了。」

他花了不少年的時間想突破這個難題。中途也做做其他力學研究，甚至找出12項影響摩擦力大小的因素，像是接觸面的粗糙程度、接觸時間、空氣溼度、物體移動速度等，每項都有具體的實驗證明和計算公式，使他在1782年因為卓越的摩擦力研究，入選了法國科學院的院士。

不過，這還不是庫侖在物理學歷史上最光彩的時刻。一直要到1784年，庫侖終於發明出一種新的測力工具——電扭秤，來解決靜電力公式的第二項難題。這使「庫侖定律」將物理學大大推進，成為電學研究最重要的基礎定律。

庫侖發明的電扭秤，長相是這樣的：

利用 C 與 A 球之間旋轉的角度，就能知道 C 與 A 之間的靜電力（排斥）有多大。這樣一來只要測量 C 球與 A 球間的距離，就能得知電荷之間靜電力與距離的關係了。

B球是絕緣體，只是用來平衡A球的重量。利用帶電的C球觸碰A球以後，A球與C球就會帶同樣的電荷，並且互相排斥。

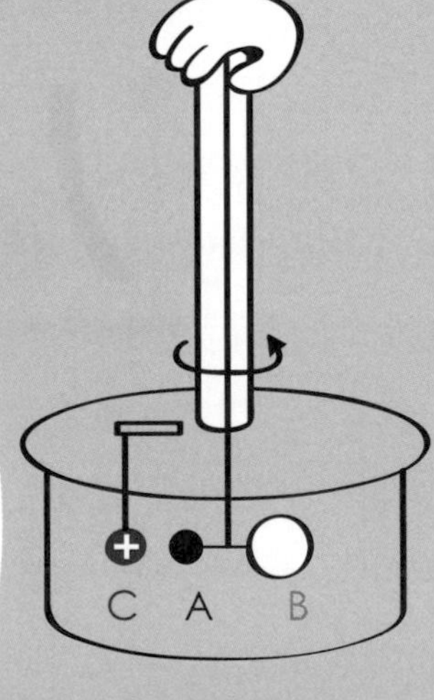

庫侖的電扭秤

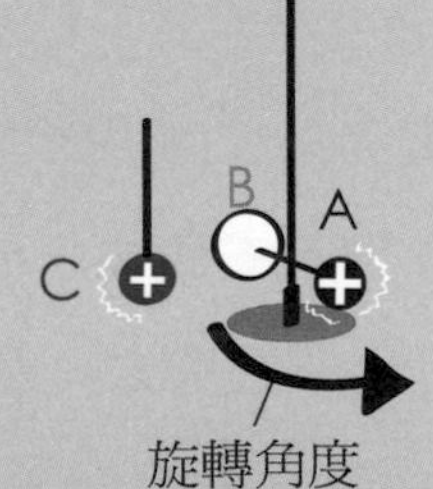

旋轉角度

「太好了，我這個電扭秤真是太厲害。讓我來計算看看，靜電力與距離之間的數學關係是……」庫侖拿起筆，在紙上進行精密的計算。

「嗯？」經過計算之後， 庫侖不知道該不該相信自己的眼睛，還是紙上的數字有問題。

「怎麼不是平方『2』，而是『2.04』呢？」

$\frac{KQq}{r^2}$
$\frac{KQq}{r^{2.04}}$
理想中
實際算出來

「差了0.04，這怎麼辦？」庫侖看了結果，很苦惱。

「唉，算了。偉大的牛頓怎麼可能錯呢？靜電力一定是符合萬有引力的規律，與距離的2次方成反比的。這0.04應該只是我做實驗造成的誤差，刪掉它就沒事了。」

於是，庫侖在次年發表了他精心證明的靜電力方程式，$\frac{KQq}{r^2}$ 後人稱之為「庫侖定律」。

但是如果庫侖發揮追根究柢的精神，勇敢的提出「喂，我們大家都猜錯了！牛頓大師也錯了！根據我的實驗證明，與靜電力成反比的應該是距離的 2.04次方，而不是2次方 ！」結果會是怎樣的呢？

結果啊——後世的科學家運用更精密的儀器和實驗方法，的確驗證了那個爭議數字不是「2.04」，而是越來越靠近神人牛頓找出的「2」。

哇，竟然被
庫侖矇對了！

雖然庫侖顧慮牛頓的權威，刪去0.04的誤差，在自己往後的科學評價裡留下瑕疵，但庫侖仍創造出無與倫比的貢獻。因為一直到他提出庫侖定律開始，電的研究才從「定性」的年代，大步跨入「定量」的年代。往後的電學家不只能夠觀察電的現象，還能精密的計算電力有多少。這個小小瑕疵所帶來的科學成果，無疑是非常巨大的！

你別這麼說，要矇對這
麼艱難的命題，還是要有兩
把刷子的呀！

CH
12

快問快答

1 在文中提到富蘭克林的「空罐實驗」。但大家比較常談到他的「風箏實驗」，那是什麼呢？

當時還沒有人知道雷電的本質到底是什麼。一開始是萊頓瓶放電產生的電火花和劈啪聲，讓富蘭克林覺得很像天空的雷電，所以他大膽的設計了風箏實驗，把雷電引到地面上的萊頓瓶裡，結果真的成功「捕捉」到了天上的電，證明跟地上的電是一樣的。富蘭克林最大的貢獻就是統一了天上和地上的電。

之後他更發明了「避雷針」：利用「尖端放電」的原理把天上的雷電引到地面，就可以避開人類的房子遭雷擊。有趣的是，剛開始教會反對「避雷針」，因為雷電是上帝的憤怒，「避雷針」會保護壞人逃過上帝的懲罰！但是一百多年以後，有些教會也開始裝避雷針，因為教會的房子也怕雷擊嘛！

2 萊頓瓶可以儲存靜電，似乎很有趣！可以自製嗎？

當然可以！請準備一捲鋁箔紙、兩個形狀大小一樣的塑膠杯，按照以下步驟製作：

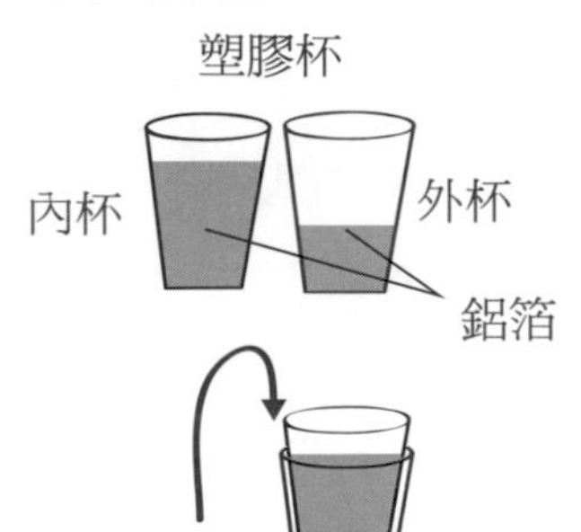

（1）在兩個塑膠杯外，各包上一層鋁箔，一個包得高一點，另一個包得低一點，盡量平整貼合。

（2）將兩個塑膠杯套在一起，鋁箔高的在內，低的在外。注意杯子間的鋁箔不可有接觸。

（3）另外撕下一片長條形鋁箔，塞進兩個杯子間，接觸到內杯的鋁箔，但不能碰到外杯的鋁箔。萊頓瓶就完成了！

接著，請拿出塑膠尺和一塊布。用布摩擦塑膠尺，使塑膠尺帶電後，輕輕讓塑膠尺與塞在兩層杯子間的小片鋁箔紙接觸；如此反覆10~20次後（天氣乾燥時次數少，潮溼時次數要增加），用一手摸外層鋁箔紙，再用另一手去摸小片鋁箔，你就會觸電啦！

原理如下：一開始杯子是電中性（圖①），但用摩擦後帶負電的塑膠尺接觸，內層鋁箔紙也會帶負電，並且使外層鋁箔紙有靜電感應（圖②），又因為杯子接地，外層鋁箔會流失負電而帶正電（圖③）；最後當你一手摸外層鋁箔，另一手摸內層鋁箔時，電路就會接通並流經你的身體，因此感覺觸電。

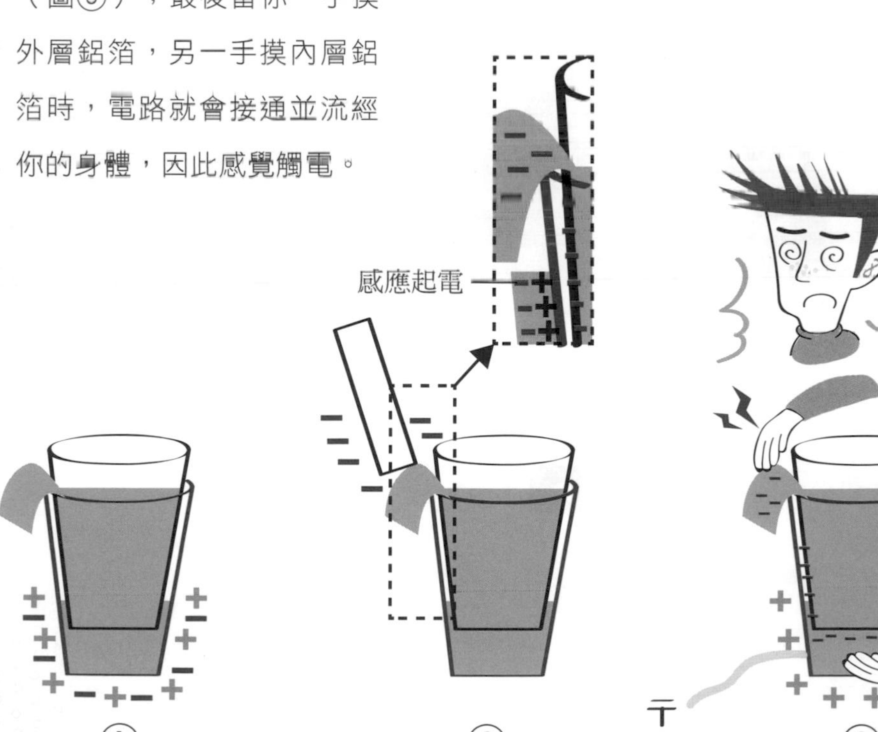

3 我好像在書上看過，「庫侖」被拿來當做電的單位。就是指那位電學家庫倫嗎？

沒錯。庫侖所發現的庫侖定律，對電學的研究非常重要，所以後來人們為了紀念他的功績，用他的名字做為電荷量的國際單位，代號是C。1庫侖相當於6.24146×10^{18}個電子所帶的電荷量。

4 「通電人」這個職業聽起來很有趣，能不能再介紹多一些？

從18世紀的初期開始，大眾紛紛為「電」著迷，通電人表演類型多采多姿。但是內容會因為表演者本身的財力、外型和觀眾的風俗習慣而有所不同。資金較多的通電人可以進行需多人與華麗道具的演出，像第11課提到的飛行男孩就是當時受歡迎的大型表演。成本較低廉的通電表演，則可能在市場或港口進行，經常是用簡單的起電機設攤，讓工人和漁民只要花幾個銅板就能體會觸摸到電、刺麻的新奇快感。有些通電人還會扮起江湖郎中，宣稱能用通電治療患者的疼痛，例如牙痛。疼痛可能會因通電而暫時麻痺，當時醫藥不發達，大概有點安慰人心的效果吧！

LIS影音頻道

【自然系列—物理 | 電磁學04】（庫倫定律）0.04的誤差

牛頓的理性科學觀引領了科學革命和啟蒙運動。庫倫和卡文迪西超崇拜牛頓，甚至相信帶電物體間的作用力和萬有引力規則相同。庫倫要如何觀察帶電物體間的作用力？

第13課

溫度到底是不是熱？

布萊克

今天上課要泡茶嗎？

不是啦，這是
測量溫度的儀器！

時間進入十八世紀，人類世界迎來一件翻天覆地的大變化，那就是歷史上的第一次「工業革命」。在工業革命前，大部分的人以農牧為生，居住在恬靜的牧場田園；但是工業革命以機械取代人力以後，大批農人離開鄉野成為工廠工人，嘈雜的機器聲劃破寧靜，高聳的煙囪更是冒出黑黑的濃煙，澈底改變人類社會的景觀。

這場革命就從英國開始。因為遠離羅馬教廷的英國，擁有比較自由的科學風氣；工業革命的種子就在科學昌盛的英國土壤上，發芽茁壯。

工業革命帶動熱學研究

你可別以為當時的「機器」跟現代一樣，只要「插電」就能自動化生產。就像前兩堂課提到的，當時的「電學研究」還只是新奇好玩的娛樂，科學家還在摸索靜電，還沒進入「電流」階段；更別說一插電就能使用的插頭、電線和城市電網了。

十八世紀的機器還是依靠水力、風力、畜力或人力。直到「蒸汽機」開始出現，利用燒煤、燒材驅動機器，一時間，工業革命才「火力」全開、星火燎原，全面進入巨大變化的時代。

在這樣的時代背景下，應該不難猜到，工廠的主人、貴族、投資者，最熱烈期待的是關於什麼領域的科學研究？

沒錯，就是「熱」！熱學關係到燒多少煤能轉換成多少財富，所以，能幫助提高機械效率、降低成本的熱學研究在十八世紀受到重視，一點也不足以為奇。

第一次工業革命

第二次

人類歷史上有四次工業革命。第一次是由發明蒸汽機帶動，第二次是電力，第三次是電腦，第四次則是物聯網與人工智慧。

第三次

第四次

老師我頭好熱，
我要請假！

只是説到「熱」，人的眼睛看不見，只能用手感覺「溫度」；所以在好長一段時間裡，人們以為「溫度」就是「熱」；溫度高代表熱多，溫度低就表示熱少。但是溫度「高」到底是多高？要跟其他科學家討論熱，該用什麼溫度單位或標準呢？所以，在挖掘「熱」的本質到底是什麼之前，科學家花了快兩百年練基本功，那就是研發量測溫度的方法、發明溫度計，以及建立好用、通用的溫度標準。

我有溫度計，
別想騙我～

從驗溫器到溫度計

1593年，伽利略利用空氣「熱脹冷縮」的特性，發明了第一個測量溫度的工具。他把一顆雞蛋大小的玻璃球接上細玻璃管，用手握住玻璃球一段時間，使玻璃球內的空氣「熱脹」以後，倒插進一只裝水的小瓶子；然後等玻璃球的溫度降回室溫，球裡的空氣就會「冷縮」，瓶裡的水也就會往玻璃細管裡升高；這時，他的「溫度計」就完成了——用它來測溫時，只要遇到「熱脹冷縮」，水柱裡的水就會呈現高低變化。

只是，這種裝置與其叫做溫度計（thermometer），還不如說是「驗溫器」（thermoscope）；因為它沒有刻度，測溫時也不精確。

冷水　熱水

伽利略

沒有刻度怎麼看啊？還是現代的溫度計好用。

但是伽利略的驗溫器仍舊在熱學研究跨出重要的一步。因為有了好的開始，驗溫器接下來不斷被改良，從利用空氣的熱脹冷縮，改為水，再改為水銀或酒精。

1742年，瑞典的天文學家攝爾修斯（Anders Celsius，1701-1744）提議在水的冰點和沸點之間畫分成100等分，每一等分叫做「1度」。只不過他所居住的瑞典長年都在冰點以下，為了避開麻煩的負數，他把冰點訂為100度，沸點0度，跟現代剛好相反。後來他的同事建議顛倒過來。我們現代國際通用的「攝氏溫標」——冰點0°C，沸點100°C，才正式登場。

丹尼爾·加布里爾·華倫海特

1686～1736

德國物理學家

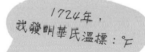

1724年，我發明華氏溫標：℉

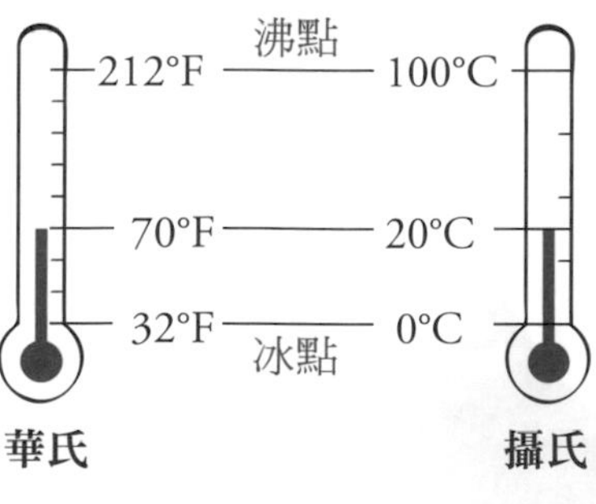

安德斯·攝爾修斯

1701～1744

瑞典天文學家

1742年我發明攝氏溫標：℃

溫度就等於熱嗎？

好了。有了溫度計和溫標，人們總算可以好好測量「熱」了！但是，當時的科學家還是常說：「這個物體含有30『度』的『熱』」或是「A的熱比B的熱多5度」一類的話。從他們的語病就可以知道，當時的學者把「溫度」看成「熱」，不少人甚至站在這個錯誤的基礎上，就開始大膽的提出自己的熱學見解。

其中最有名氣的一位，就是荷蘭的醫生兼植物學家赫爾曼．布爾哈夫（Hermann Boerhaave）。布爾哈夫把華氏40度的冷水，跟80度的熱水等量混合，得到60度的溫水！他認為是：80度的熱水把「20度的熱」給了40度的冷水，所以40度的冷水加上「20度的熱」，就變成了60度！水的溫度就是熱，物體混合時會交換「熱」，所以溫度可以直接交換、加減，聽起來也非常合理。

只不過，自信滿滿的布爾哈夫，很快就被自己接下來的另一個實驗難倒了。這次他改用的是華氏40度的水與80度的「水銀」，結果混合的溫度竟然是41度，而不是原先預期的60度！

這讓布爾哈夫非常頭痛，「溫度交換」聽起來非常合理，但是為什麼實驗結果卻不如預期呢？

當時，這道未解的謎題就被稱為「布爾哈夫難題」；直到二十年後，英國科學家布萊克（Joseph　Black）才參透其中的道理，找到眾多科學家們在熱學遊戲裡「卡關」許久的根本原因。

破解布爾哈夫難題

「奇怪了！這是怎麼回事？」

在實驗室裡研究冰塊融化的布萊克，用手搔了搔自己的頭髮。他注意到實驗結果事有蹊蹺，跟他長久以來接受的教育——熱就是溫度，溫度就是熱——不一樣。

約瑟夫・布萊克

1728～1799

英國醫生、熱學家、化學家

當時正是1757年，布萊克剛從英國格拉斯哥大學的博士學生，正式升任教授。他注意到前兩年的冬天特別冷，但是戶外厚厚的積雪卻沒有想像中那麼容易融化，於是他準備了兩個一模一樣的燒杯，做了這麼一個冰的實驗——

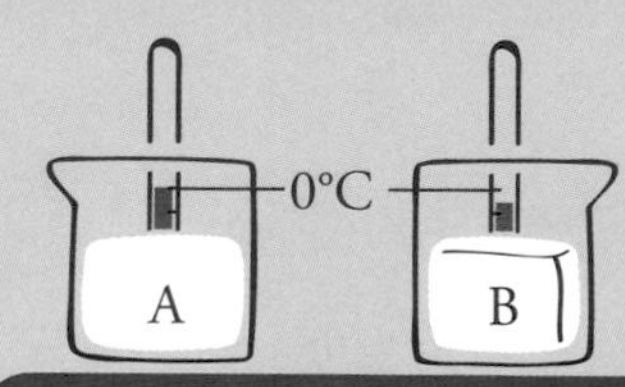

冷卻到快要結冰的「水」（接近0℃）	冷卻到恰好結冰的「冰」（略低於0℃）

他把兩個燒杯同時掛在一個房間裡，計算兩個燒杯上升到室溫所需要的時間。

結果，明明兩杯的溫度只差一點點，燒杯A花了半小時，燒杯B卻用上整整十小時的時間！

「這不合理呀！明明溫度一樣、熱一樣，所花的時間應該也要一樣才對……」

「難不成……」布萊克試著讓自己的腦袋跳出舊有的框架，「難不成『冰』」變成『水』也需要吸收熱？！」

「對了！一定是這樣！冰要從空中吸收足夠的熱，變成水以後，溫度才會繼續上升！熱和溫度不是一樣的東西！難怪燒杯B需要多花這麼多時間，我找到背後的原因和道理了！」

興奮的他經過細密的思考以後，創造了兩個新的名詞：

潛熱

潛伏的熱／冰融化成水的所需的熱／溫度計量不出來

顯熱

明顯易見的熱／手可以感覺到的熱／溫度計可以量出來

但是既然冰融化成水需要潛熱。那麼水汽化成水蒸氣，是不是也一樣需要潛熱呢？他設計了燒水的實驗來檢驗自己的想法：

把溫度計放進一鍋水中，然後緩緩加熱，使水溫慢慢上升到100°C。接著，爐火繼續加熱，水也開始沸騰，汽化成水蒸氣，溫度卻一直停在100°C，不再變化。這個結果證明了他的想法，原來水在固態、液態、氣態三相之間轉換時，會吸收或放出「潛熱」，但是溫度卻不會變化。

「原來熱和溫度是兩碼子事……我們應該把『熱』看成『熱的分量』（或數量），把溫度看成『熱的強度』。」

這麼簡單的實驗，
我也會做！

舉例來說，把一磅重的水與兩磅的水用同樣的加熱器加熱到相同溫度，就會發現兩磅水需要的時間是一磅水的兩倍，可見兩者的溫度（熱的強度）達到一樣時，獲得的熱（熱的分量）卻差兩倍。熱與溫度的差別很明顯，只是長久以來人們無法釐清，都把它們混淆罷了。

布萊克能從
簡單中看出重點，
才是難能可貴！

布萊克的實驗以現代的眼光來看，一點都不難；似乎只要有溫度計，人人在家都能輕鬆進行。但是在那個年代，他的「潛熱」、「溫度不等於熱」卻像一把開山刀，讓科學家們有了好的工具，在「熱學」的新開發領域上披荊斬棘。

不只如此，布萊克後續又發現：不同的物質要上升相同的溫度，需要的熱量不同，因而提出「比熱」的概念。「布爾哈夫難題」正是因為水銀和水的「比熱」不同，所以華氏80度的水銀與40度的水混合，溫度才會停在41度，而不是60度。

瓦特

盤桓多年的布爾哈夫難題迎刃而解。布萊克不但以熱學觀念啟發、更以實際的金錢資助瓦特改良蒸汽機，推動工業革命、改變了人類的命運。

不過，專注於學術研究的布萊克，並沒有因此得到任何商業利益。他雖然一腳成功區分熱與溫度的不同，另一腳卻仍然深陷在舊有、錯誤的熱學框裡。布萊克依然相信「熱質說」：認為「熱是一種物質」的古老學說；至於熱質說後來發生了什麼故事？就要來看看在四十年後「熱質說」與「熱動說」的世紀對決了。

這是真正的好友，
你也借我一點錢吧！
想得美！

快問快答

1 現在常見的溫度計，有酒精和水銀溫度計兩種。這兩種溫度計各有什麼優缺點？為什麼做實驗時常用酒精溫度計，量體溫的卻常常是水銀呢？

其實，現在常說的「酒精溫度計」，裡面已經不是真正的酒精，而是染成紅色的石化液體了。因為以往真正用酒精製作的溫度計，測溫範圍是-114°C至78°C（酒精在78°C以上就會蒸發），比較不方便用在高溫的實驗中。而改良後的「酒精」溫度計（雖然已經不是酒精，但習慣上還是沿用舊稱），可以量測-115°C至110°C，測溫範圍更廣，更適合一般實驗用途。

過去，因為水銀傳熱比酒精快，遇熱膨脹也比較均勻，所以準確度比較高，適合用來做體溫計。但是因為水銀對環境有毒害，有些國家已經禁止販賣水銀溫度計，臺灣也大多改用電子體溫計了。

2 在網路上，我曾看過一種色彩繽粉的「伽利略溫度計」，長得很像玩具。是伽利略發明的嗎？要怎麼使用它呢？

呵呵，我跟你一樣，也曾經產生誤會。雖然名叫「伽利略溫度計」，它可不是伽利略發明的，而是出自他的徒子徒孫托里切利、維維亞尼所參與的一個學術團體。

伽利略溫度計看起來漂亮又有趣，我猜很多現代人把它買來當玩具；但在當時，這可是科學家們正正經經、絞盡腦汁才研發出來的測溫儀器呢！

這種「伽利略溫度計」是利用「浮力」的原理設計的。每一個玻璃球裡裝有不同顏色的液體，當玻璃球裝好液體密封以後，再加上不同重量的金屬圓盤來調整重量；讓每個玻璃球加上金屬圓盤後的密度，就等於圓筒內的酒精在不同溫度時所呈現的密度；所以，當外界溫度改變時，不同的玻璃球就會上升或下降。這時，只要找到最頂端的玻璃球，讀取吊掛在它下方的溫度，就是最接近周遭的溫度了。

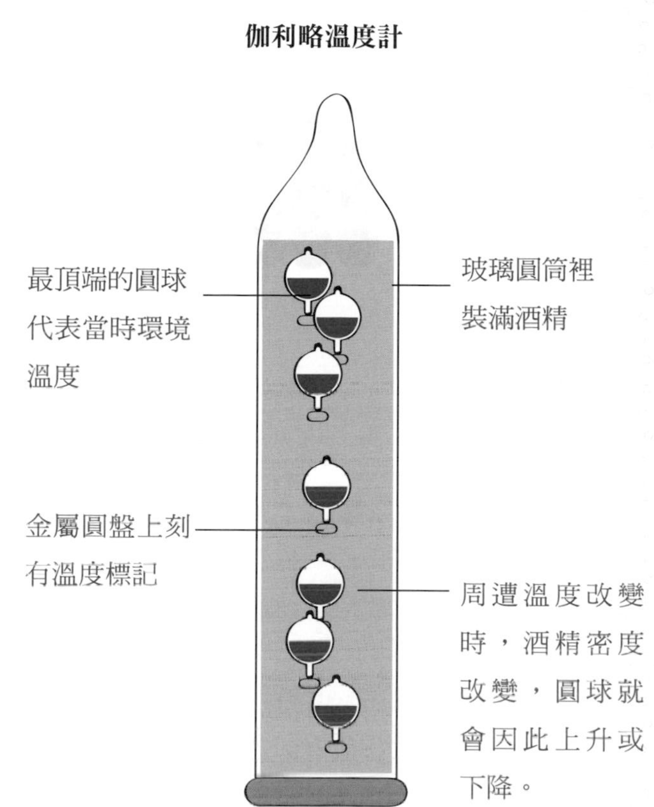
伽利略溫度計
最頂端的圓球代表當時環境溫度
玻璃圓筒裡裝滿酒精
金屬圓盤上刻有溫度標記
周遭溫度改變時，酒精密度改變，圓球就會因此上升或下降。

3 我還是不懂為什麼冰要變成水，水要變成水蒸氣，都需要吸收「潛熱」呢？可不可以用比較現代的方式解釋給我聽？

沒問題，布萊克提出「潛熱」的那個年代，人們還沒有「分子」的概念。現在，我們已經知道水和其他物質一樣，都是由分子構成的。所以用分子的角度來解釋潛熱，就會非常清楚。

水是由一個氧加上兩個氫的水分子所組成的。看看下圖，猜猜看，冰、水、水蒸氣哪一種的分子最密？哪一種的分子最疏？

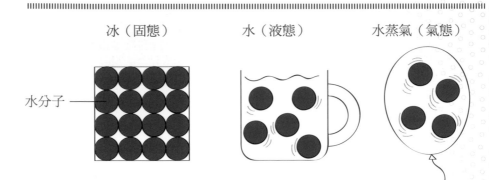

冰（固態）　水（液態）　水蒸氣（氣態）

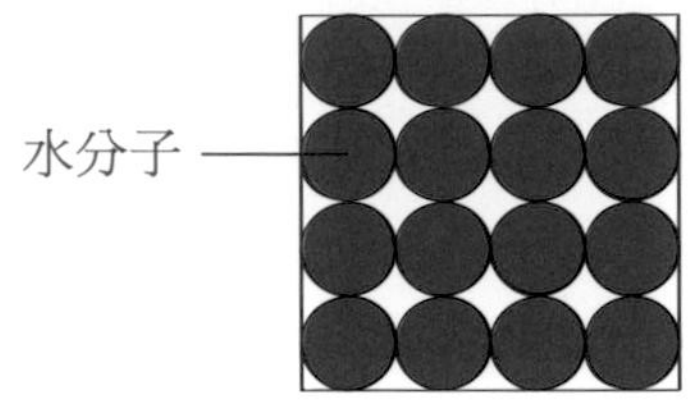

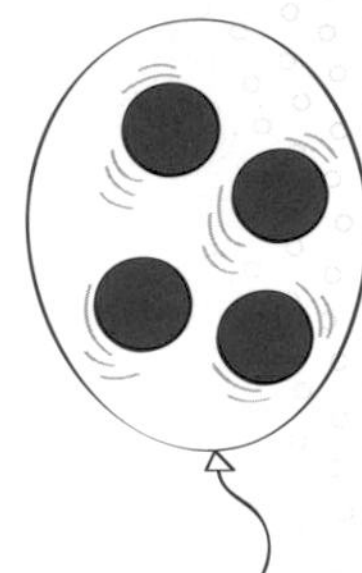

沒錯。固體的冰分子最密，分子之間的距離近，而且彼此互相吸引牽制，所以冰裡的水分子都乖乖的排好，只能做較小幅度的振動。相反的，分子之間距離最遠的是氣態的水蒸氣，水蒸氣的水分子可以大幅度的振動，而且分子最自由、運動的速度也最快。而液態的水分子，則介於固態的冰和氣態的水蒸氣之間，水分子雖然不像氣體那麼自由，但也不像固體那麼死板，所以有一定的體積，但形狀可以隨著容器的形狀改變，比固體自由許多。

所以，當冰要融化變成水時，冰裡的水分子需要吸收一股能量，才能掙脫彼此之間的束縛，這種轉變所需的能量就是「潛熱」。同樣的，水要汽化成水蒸氣的時候，也需要吸收一股能量，賦予分子更大的動能，才能自由的變成氣體在空中移動，這種轉變所需要的能量也稱為「潛熱」。這樣，你瞭解了嗎？

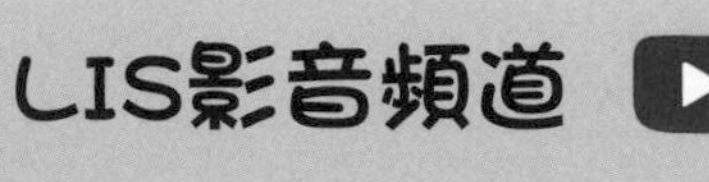

【自然系列－物理｜熱學01】

（溫度與潛熱）曖昧的相變化－熱（上）（下）

布爾哈夫所遺留下關於「熱」的難題，讓布萊克陷入兩難，熱跟溫度到底存在著什麼曖昧的關係呢？

第14課

熱質說VS熱動說

倫福德伯爵

老師，
大砲鑽孔實驗
是用來解釋
熱的本質嗎？

你給我下來……

我鑽～

打從遠古以來，「火」在人類的生活中就無處不在。人們直覺認為火是熱的，那麼「熱」就是火嗎？可是，沒有火的物體也會熱，熱是什麼？冰塊裡有沒有熱？物體燃燒以後，熱又去了哪裡——種種有關「熱」的問題，在自然哲學家之間爭論了千百年。而既然時間來到十八世紀，開始有眾多科學家為了蒸汽機熱烈投入熱學研究，「熱，究竟是什麼？」這個長久未解的本質問題也終於迎來見真章的決戰時刻。

熱是物質，還是由運動產生？

關於熱的本質，江湖上曾出現兩派人馬。其中一派認為：熱是一種「運動」，因為物質內外不明原因的運動才產生熱，人稱「熱動說」——

摩擦生熱，
可見火和熱是
「運動」的表現。
柏拉圖
429BC～347BC
古希臘自然哲學家
熱是一種膨脹運動，
而且是在物體內部、
微小部分的運動。
法蘭西斯・培根
1561～1626
英國哲學家
沒錯沒錯，我們也覺得
熱和原子運動有關！
波以耳
牛頓

另外一派則老早把「熱」看成獨立的基本元素，認為「熱是一種『物質』」，會在不同物體之間流來流去，這就是「熱質說」——

萬物皆由汞、硫、鹽三種元素構成，其中硫是能燃燒的元素。意思就是熱質啦。

霍恩海姆
1493～1541
十六世紀煉金術師

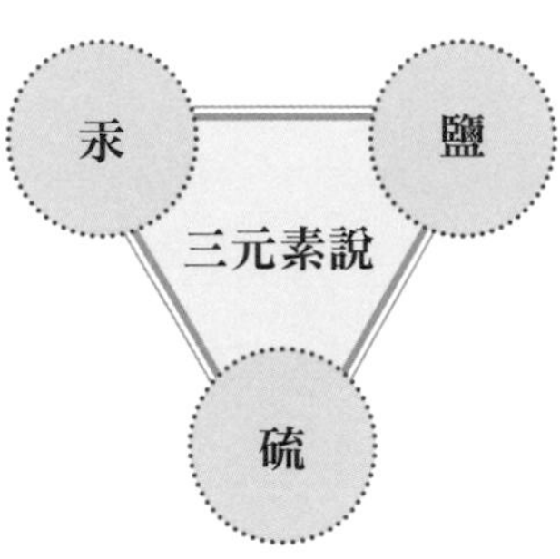

熱是由熱原子造成，冷是由冷原子造成。

皮埃爾・伽桑狄
1592～1655
法國科學家

熱＝溫度，是潛藏在物體裡的物質，可以交換，但不能生成也不能消滅。

布爾哈夫

熱≠溫度。不過我也贊成熱是一種物質。

布萊克

熱質說暫時勝出

但是，熱動說的理論比較薄弱，除了摩擦生熱之外，很難拿來解釋眾多的物理現象；所以沒什麼人信，經常被忽略。相反的，熱質說看起來能解釋很多現象，像是「溫度升高是吸收熱質，溫度降低是放出熱質」、「熱輻射是往空氣散發出熱質」、「氣體加熱膨脹是因為熱質之間互相排斥」……所以熱質說在十八世紀占有權威地位，大多數物理學家都贊成熱質說，認為熱質是一種沒有質量的流體，含有會受物質吸引、但卻彼此互相排斥的微小粒子。就連人稱「現代化學之父」的大科學家拉瓦節（Antoine-Laurent de

Lavoisier，1743－1794）（參考《化學課》第6、7課）也不例外，他不但幫「熱質」取了新名字「卡路里」（calorie）；還乾脆在他的大作《化學基礎》中，把熱質列入化學元素表，直接當成一種「氣體元素」！

看到了嗎？贊成「熱質說」的拉瓦節身邊，總是有位清秀佳人照顧他的生活起居，幫他打理科學實驗，與他共同討論科學，那是他美麗的妻子瑪麗安・皮埃爾萊特・包爾茲（Marie-Anne Pierrette Paulze，1758-1836）。瑪麗安十三歲就嫁給拉瓦節，在長時間耳濡目染之下，也成為幾乎可以獨當一面的科學家。但是為何這裡要突然提起瑪麗安呢？請容我賣個關子，瑪麗安的愛情故事與「熱」有關，讓我們繼續回到熱的本質。

愛情故事，我要看！

今天的物理課是偶像劇嗎？

你也清楚，大多數人贊成並不代表一定就是正確的吧！就像許多孩子相信耶誕老公公，但耶誕老公公不存在一樣。任何科學真理都需要通過不斷的檢驗，才能屹立不搖，獲得世人的信服。而就在十八世紀即將結束的前一年，熱質說終於受到強而有力的挑戰，那是來自一位浪子般的軍官——班傑明・湯普森（Benjamin Thompson，1753－1814），世人稱倫福德伯爵（Count Rumford）。而或許是命運捉弄人，他與瑪麗安的邂逅也猶如一場「熱學生死戀」，捲入熱質說與熱動說的科學戰爭。

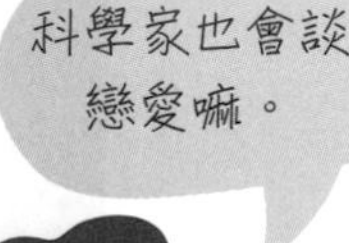

兵工廠的大砲鑽孔實驗

班傑明・湯普森　倫福德伯爵
1753～1814
英國物理學家

1753年，班傑明・湯普森出生在當時還是英國殖民地的英屬美洲，也就是現在的美國。當美國爆發戰爭爭取獨立的時候，湯普森認為殖民地的人民都應該效忠祖國，所以他為英國監督鄰居、提供情報；甚至拋下妻子，加入英軍。後來英國輸了，他在美國實在待不下去，就離鄉背井留在英國生活；直到1783年，才前往巴伐利亞（位於現今德國境內）為選帝侯西奧多（Karl Theodor，1724-1799）工作，展現才華，擔任戰爭大臣和國會議員。

在這段期間，湯普森引進蒸汽機、馬鈴薯，立下不少功勞，選帝侯想封他為伯爵，他就以妻子的出生地——美國新罕布夏州的「倫福德」為封號，從此以後便以「倫福德伯爵」的稱號名滿天下。

選帝侯就是擁有「選舉皇帝的權利」的諸侯。圖為十四世紀選出羅馬人民國王的七位選帝侯。

倫福德伯爵從小喜歡研究火藥槍砲。十三歲那年，他在一家小店當學徒的時候，就曾經為了製造煙火，差點在爆炸中丟了小命。事實上，倫福德沒有接受高深的科學教育，他是在歐洲結交了益友——幾位認真的科學家朋友，從此才對科學感興趣，尤其是製造槍砲都會遇到的「熱學」問題，特別吸引他的注意。

1797年，他奉命在巴伐利亞的兵工廠，監督製造大砲的鑽孔工作時，就注意到一些不合理的現象。通常，用鑽孔工具鑽削銅砲的砲身時，會「摩擦生熱」產生大量的熱和銅屑；如果用水冷卻這些銅屑，水甚至會馬上沸騰。

如果按照「熱質說」的解釋，這些銅屑是因為工具來回摩擦時，「拉」出了銅塊深處的熱質；所以它們帶著大量的熱質，被切削下來的時候溫度特別高。

「只是……這些銅屑也未免太熱了吧？」倫福德覺得奇怪。

「這麼多的熱已經足夠融化銅塊。如果銅屑帶走的熱質全部來自銅塊，那為什麼原本的銅塊不會融化？這解釋太不合理。」

倫福德開始懷疑，這彷彿源源不絕的熱，不是來自銅塊裡的「熱質」，而是由「摩擦」運動所產生的。因為銅塊裡的熱質不可能像這樣無窮無盡，但只要摩擦不停下來，的確有可能冒出源源不絕的熱來。

為了測試他的想法，他決定把兵工廠當成實驗室，進行一場「鑽孔實驗」——最好是只有不停歇的摩擦運動，卻不削下任何金屬屑，如此才能證明，源源不絕的熱是由摩擦產生，而跟金屬屑拉出熱質這種說法沒有任何關係。

所以，他故意選用一個磨鈍了的鑽頭；並把要摩擦的金屬圓筒泡在水缸中。那個年代還沒有電力，只有辛苦的馬兒帶動圓筒不停的旋轉，結果兩個半小時以後，8.5公斤的水竟然就這樣沸騰起來！現場的觀眾包括倫福德，都忍不住歡呼：

耶！果然運動才能產生熱！
水
金屬圓筒
鑽頭
不用燒水也能沸騰，真神奇！
高興什麼？我快累死了！

如果熱質是物體裡的物質，總有用光的時候，不會因為持續摩擦，熱就不斷產生。所以倫福德認為，這證明其實是「運動」產生了熱，只要摩擦沒有停，熱就會源源不絕的產生出來，使水沸騰。

他在第二年發表這個實驗結果；果然引起英國化學家戴維（Humphry Davy）（可參考《化學課》第11課）的大力支持。

漢弗里・戴維
1778～1829
英國化學家

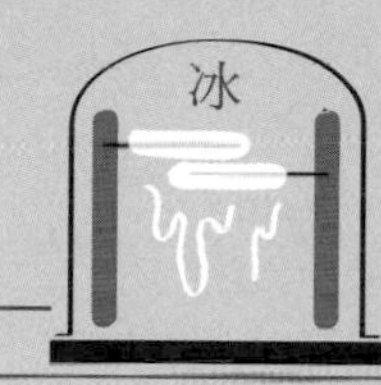

年輕的戴維也設計了一個實驗：在抽真空的低溫玻璃罩裡，把兩個冰塊綁在鐵棒上不停的互相摩擦。幾分鐘後，兩塊冰都融化成水，溫度同時達到1.6℃。這個實驗再次說明，並不是某一塊冰把熱質給了另一塊，要不然其中一塊的溫度應該降得更低、根本不會融化。真正的原因是摩擦和碰撞引起了物體內部微粒的振動，這種運動和振動才是熱的本質，熱質說是站不住腳的。

倫福德和戴維的創舉，的確給熱質說帶來重重的一擊。但是話又說回來，當時的人們對於原子內部的構造並不瞭解，他們的熱動說也無法提出完整的理論細節；因此，熱質說並不是這麼一、兩個實驗就能輕易打敗的；人們還是相信熱質說，直到一個大鬍子科學家詹姆斯・普雷斯科特・焦耳（James Prescott Joule），成功測量出運動的確可以轉化成熱量（即熱功當量，請見P112－113）以後，熱質說這才走入歷史，但那已經是半個世紀以後的事了。

倫福德與瑪麗安之間的愛情熱動

而就在熱動說的理論發表後不久，倫福德伯爵在因緣際會下，愛上了拉瓦節的遺孀瑪麗安，並且展開四年的熱烈追求，在1804年和瑪麗安結婚。

當時，倫福德伯爵已經是個有名的科學家，而瑪麗安也是。雖然在科學歷史上享有盛名的是拉瓦節，但是拉瓦節的所有研究都能見到瑪麗安的影子。她不只參與拉瓦節的實驗，幫拉瓦節翻譯科學文獻，還會在協助翻譯時，點出文章的錯誤或加上自己的見解。拉瓦節在瑪麗安的協助下，建立各種富有創見的學說。可惜樹大招風，法國大革命爆發時，拉瓦節因為曾經擔任稅官，而被送上斷頭臺。

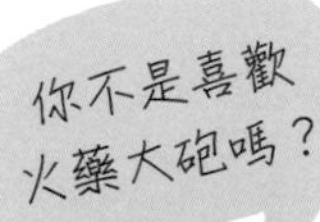

痛失所愛的瑪麗安也被新政府沒收財產、關進監牢；拉瓦節留下的實驗器材、研究手稿，也無一倖免。後來，瑪麗安出獄，一心一意想為拉瓦節出版回憶錄、公開生前的研究成果，彷彿用這樣的方法，能讓她所愛的拉瓦節在科學史的漫漫長河中繼續活著⋯⋯

瑪麗安就帶著這種對舊愛的創傷與回憶，與倫福德伯爵結婚了。那個時候，倫福德的熱動說正遭受熱質說猛烈的**砲火**。不曉得他有沒有跟瑪麗安辯論，她與前夫拉瓦節支持的熱質說根本錯誤；也不清楚舊情人拉瓦節的科學權威有沒有在倫福德心中引發妒火。但是可以確定的是，瑪麗安和倫福德結婚後，對外還是自稱「拉瓦節夫人」；據說，他們兩人之間充滿**火藥味**；瑪麗安甚至會因為一言不合，提著滾燙的熱水澆死倫福德辛苦種下的玫瑰。倫福德曾經感嘆：「拉瓦節比我幸運多了！他上了斷頭臺，而我卻要繼續忍受瑪麗安的折磨，不知道要到什麼時候⋯⋯」

還好，瑪麗安與倫福德伯爵的婚姻，只維持一年就結束了。按照熱動說的說法，分開後的兩人不再繼續碰撞、摩擦，愛情的溫度也就隨著時間冷卻，消退的無影無蹤了。

快問快答

1 拉瓦節認同熱是一種物質——「熱質」，還幫熱質取了名叫「卡路里」。好像在哪裡聽過這個詞耶？

沒錯，卡路里（Calorie）從拉瓦節那個時代，一直被沿用到現代——就是我們在計算「熱量」的單位，通常簡稱「卡」（cal）。它的定義是：在1大氣壓下，讓1公克的水升高1℃，所需要的熱量，就是1卡。但我們平常隨便喝杯手搖飲，就超過好幾千卡；所以在提到食物所含的熱量時，常用「千卡」（kcal），或大卡（Cal）。消化1公克的醣類或者蛋白質，能提供4大卡的熱量，1公克的脂肪則是9大卡。

2 這課講到摩擦生熱，那我吃冰時舌頭被黏在冰棒上，是不是跟我舌頭摩擦（舔）冰棒有關？

呵呵，這跟摩擦生熱無關。就算只是單純用手碰冰塊，也是照樣會被黏住喔！這種現象的原因是，我們的舌頭比冰塊高溫許多，接觸時舌頭會讓冰棒薄薄的一層表面瞬間融化；但是冰棒整體還是結冰的，這層稀薄液體又會快速凍結，把冰棒和舌頭「黏」在一起！這時如果硬把舌頭拉回來，可能會小受傷。所以溫度太低的冰，不適合冒然伸舌頭去舔唷！

3 我想問一個八卦問題！倫福德伯爵在美國不是已經有太太了嗎？他又娶了瑪麗安是不是犯了重婚罪？

別擔心～倫福德伯爵與瑪麗安結婚時，他的前妻已經去世了。

4 倫福德的「熱動說」是對的卻不被重視。用現代觀點來看，可以用什麼方式來解釋呢？

在倫福德的年代，對物質內部的粒子運動只有非常粗淺的概念。以現代的觀點來說，物質看起來就算是靜止的，內部粒子還是在不停的運動；低溫時，運動幅度小；高溫時，運動幅度大。而摩擦生熱的過程，其實是物體表面的分子被「碰撞」、獲得了更多的能量，因此運動幅度加大，溫度也跟著升高。

舉個日常例子：「微波爐」沒有火，卻能讓食物的溫度上升。這是因為裡面的微波產生器，會將高能量的微波射向食物，食物裡的水分子吸收這些能量後，就會快速運動、彼此碰撞，不斷「摩擦生熱」。這樣一來食物溫度就會快速上升、變熟。

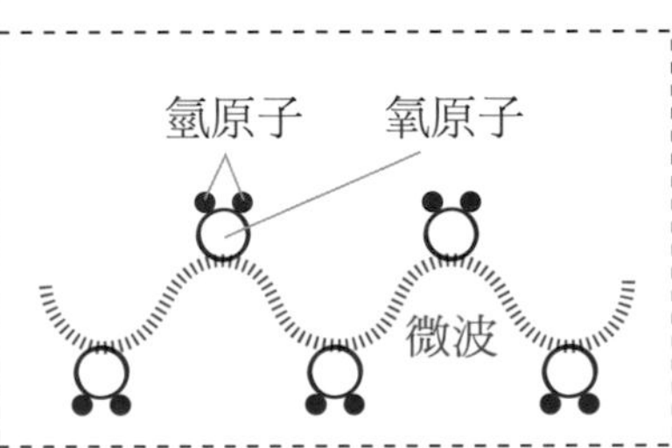

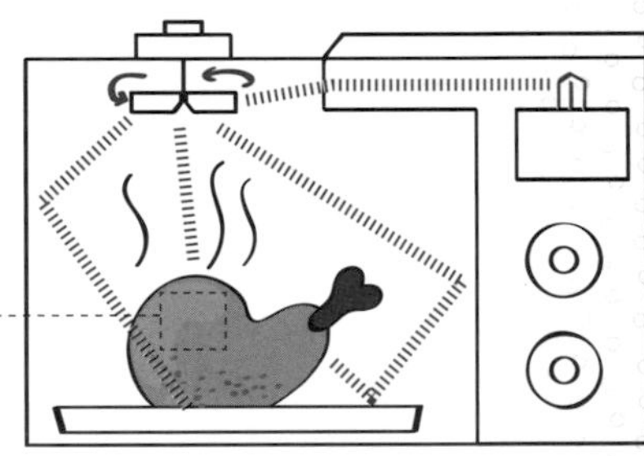

LIS影音頻道

【自然系列—物理 | 熱學02】

（熱質說與熱動說）瑪麗安的熱學生死戀（上）（下）

布萊克以「熱質」的概念來解釋熱的難題。而拉瓦節為了測量抽象的熱質，和拉普拉斯製作了「量熱器」，並將熱質重新命名為卡洛里。

第15課

開啟電磁大時代

厄斯特 & 安培

大家看！
我把電接通……

磁針動了！

哎呀，有鬼！

上冊的第五課中我們提到，英國女皇的御醫吉爾伯特，在1600年創造了全新名詞「electricus」（電），首度把長久以來被混為一談的電與磁，分開成為兩種不同的物理現象。不過有句話說——「分久必合，合久必分」；電與磁合在一起幾千年，被吉爾伯特分開；後來電是電，磁是磁，分家好長一段時間，會有哪位仁兄出現，又把它們「合」在一起嗎？

這件事想必不簡單，要不然，就不需要花上三百年。

難解的電磁曖昧關係

就連區分電與磁的吉爾伯特自己都說，電與磁是兩種不同的力——地磁是地球的靈魂，電則是摩擦物體才具有的吸引力。而先前提到的電學大師庫侖，雖然發現庫侖定律適用於電、也適用於磁，但是做實驗時實在找不到電與磁有什麼共通之處，所以也認為電、磁之間彼此互不相干。

不過隱隱約約之間，科學家們總覺得哪裡不太對勁。因為在世界各地，奇特可疑的現象時有所聞。例如有些商人的金屬刀叉裝在箱子裡，被閃電擊中後，竟然具有磁性可以吸引釘子；軍艦受雷擊後，船上的鐵製品也變得帶磁性。就連美國的電學大師富蘭克林做實驗時也曾發現——

富蘭克林

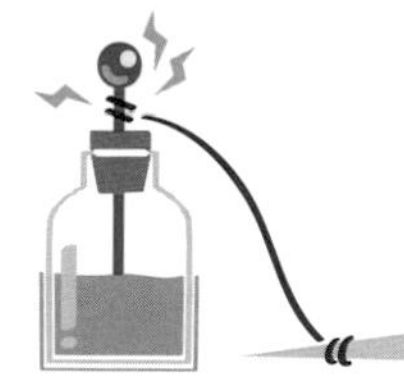

雖然富蘭克林很快的認為，是電流通過縫紉針時，使縫紉針發熱，剎那間被地球磁場磁化。但是這些不可思議的怪奇現象，還是促使那一代的科學家忍不住想：難道，電與磁之間真的具有什麼特殊關聯？1774年，甚至一家德國的研究院提出有獎徵答，鼓勵大家研究：「電力和磁力是否存在著實際的相似性？」但是沒有人得到什麼具體結果。

「電磁本一家」源自哲學思想

伊曼努爾・康德
1724～1804
德國哲學家

在這種思想的氛圍下，當時的德國出現一位厲害的哲學家——康德（Immanuel Kant）……

他認為人類對大自然的「知識」，是由人類透過「感官」觀察得來的，並不一定就是世界最真實的面貌。他把人類由感官獲得的知識稱為「現象」，而世界的真實面相為「物自身」，人類的知識來源只能侷限在感官獲得的現象裡，而物自身呢？卻是不可知。

康德這種哲學觀在德語世界引發風潮，許多年輕學子都成為康德的信徒。其中一位還用盡了洪荒之力、耗費數年，找到符合自己哲學信仰的「電生磁」現象，震驚科學界並開啟數十載的「大電磁時代」。那就是來自丹麥身兼哲學家、文學家、詩人、物理學家於一身的漢斯・克里斯提安・厄斯特（Hans Christian Ørsted）。

不是在講物理的歷史，為什要又要開始講哲學啦！

LIS老師說過，哲學是科學的始祖，它們的共同目的，就是解釋世界萬物的運作。

沒錯，所以科學家會受到哲學的影響，一點也不奇怪！
LIS

磁針一轉 天下知

漢斯．克里斯提安．厄斯特
1777～1851
丹麥文學家、哲學家、物理學家

厄斯特生長在丹麥朗厄蘭島（Langeland）的魯茲克賓鎮（Rudkøbing）。這個偏遠的小島上連正式的學校都沒有，有志學習的年輕人只能請教鎮上有知識的長者，或是聽聽外地人說說世界其他地方的奇聞異事。厄斯特和他的弟弟安德斯就是這樣長大的。

厄斯特十二歲起就在爸爸的藥局裡幫忙，學會不少製作藥劑的技能，也讀過不少化學相關書籍。1793年，他和弟弟一起到大都市求學，沒有辜負爸爸的期望，兩人都成為成績優秀的哥本哈根大學高材生。

在當時，丹麥並不是歐洲科學的重鎮，整個丹麥也只有哥本哈根一所大學。厄斯特原本主修醫學、物理，但是他是屬於多才多藝、喜歡廣

泛發展各種興趣類型的學生，不但拿到文學大獎、考取藥劑師執照，最後甚至拜倒在康德哲學的魅力之下，以延伸康德哲學的《大自然形上學的知識架構》為主題，拿到博士學位，所以說他是位哲學家，一點也不為過。

畢業後的厄斯特想要留在母校教授物理，但沒有如願爭取到職缺。不過他卻在隔年拿到一筆獎學金，可以到歐洲幾個重要的科學大國遊學。這是厄斯特夢寐以求的好機會。他立刻出發拜訪德國、法國、荷蘭，與不少當時頂尖的科學家切磋；還結交了一位「換帖兼麻吉」——芮特（Johann Wilhelm Ritter），對他的人生產生深遠的影響。

芮特是個多方涉獵，想法前衛的年輕人。他和厄斯特有很多共同點：同齡、當過藥局學徒、自修化學、喜好哲學。重點是，他們同樣信奉康德哲學。芮特甚至比厄斯特更深入，接觸到當時德國的最新思潮「自然哲學」（Naturphilosophie），提出者是位和他們相仿，年輕又叛逆的哲學家謝林（Friedrich Wilhelm Joseph von Schelling）。

弗里德里希・威廉・約瑟夫・馮・謝林
1775～1854
德國哲學家

謝林的自然哲學是康德哲學的改良和延伸。在謝林的眼中，大自然如果是一片海洋，那麼科學家觀察到的現象就是海洋表面不同的海浪，從一個海浪去看另一個海浪，好像彼此無關；但是在這些看似獨立的海浪底下呢？全部都具有相同本質的海水，而且彼此相連！

換句話說，電、磁、光、熱……可能根本是一樣的！只是我們看不出來！
電
磁
光
熱

這是真的嗎？

謝林的哲學觀沒有事實證據支持。當時受到很多科學家的批評，尤其是在德國以外的英語系國家。

生性浪漫的芮特為謝林的哲學心動，進一步影響厄斯特的觀念。他們相信所有的物理現象，像是電、磁、光、熱，背後必定隱藏著不為人知的關聯，只是還未被人發現而已。只可惜滿腔熱血的芮特沒有做出什麼實驗來證明，所以一直得不到大學教授的工作，也無固定收人。芮特結婚生了四個孩子後，連撫養孩子的錢都沒著落，並且在33歲年紀輕輕就英年早逝。

厄斯特雖然不像芮特那麼悽慘，但當他回到丹麥想申請教職時，同樣因為「沉迷自然哲學」被拒絕，直到兩年後，才順利成為哥本哈根大學的物理教授。

兄弟，你安心的去吧，我會完成你的心願的。
厄斯特

約翰・威廉・芮特
1776～1810
德國化學家、
物理學家、自然哲學家

那一年，八十高齡的康德逝世。身為康德信徒的厄斯特，還是想方設法用康德的理論來解釋各種化學反應以及電磁的現象。他心想：既然電流通過較細的導線會發熱，通過更細的導線會發光，那麼如果讓通電的導線變得更細呢？

「說不定就是會出現磁場啊！」

所以他用極細的鉑絲接上電源，通電後再放置在磁針前看看會不會吸引磁針？結果，就算鉑絲因為通電而被燒紅了、發光了，磁針還是動也不動，沒有半點反應。

「唉，」厄斯特嘆氣道，「看來事情不是我想的那麼簡單……既然發熱和發光都是向導線的四周擴展，會不會磁的作用也是一樣呢？我再試試其他金屬好了。」

可是，不管電流通過的是金、銀、鎢或其他金屬絲，通電的金屬還是沒辦法像被雷擊的刀叉一樣，生出磁來。

厄斯特

直到1820年4月的一個晚上，厄斯特正在為一些聽眾講解電學。他一邊講解，一邊示範實驗，現場放置的器材橫七豎八的，有點凌亂。所以當他提到「電和磁說不定是一樣的」的想法時，只好隨手把磁針（平行）放在導線正下方，結果就這麼剛好！助手接通電池的一瞬間，磁針竟然朝著垂直於導線的方向唰的轉了過去！

「天哪！這不就是我尋找多年、夢寐以求的現象嗎？」厄斯特在心

通電瞬間，磁針就轉動了！

裡大叫了出來。

「原來，不是通過電的金屬會生磁，而是電流流動才會產生磁性呀！」厄斯特終於抓到了電生磁的原理。

他用接下來的三個月做了六十幾個實驗，想進一步弄清楚電流對磁針的作用規則。他把磁針放在導線的前、後、上、下，畫出電流對磁針作用的方向，發現電流的磁效應原來是沿著環繞導線的螺旋方向。他還把磁針放在距離導線不同的距離，觀察電流對磁針作用的強弱；而且發現玻璃、金屬、木頭、石頭、瓦片、琥珀、水等都不能擋住通電導線發出來的磁力。

1820年7月21日後，他用四頁的篇幅，簡潔有力的報告「電生磁」的發現。這篇報告沒有計算的部分，沒有說明原因，仍立刻造成轟動。

厄斯特多年的堅持終於有了成果，而這時他的好友芮特過世剛好十年，也算是身為換帖兼麻吉，送給逝去好友最好的祭禮吧。

電生磁的現象，看似是「運氣好」才偶然被發現的。但是「機會是留給準備好的人」，如果厄斯特沒有懷抱著「電磁本一家」的信仰、沒有經過十年的尋尋又覓覓，那麼磁針在電流接通時的小小轉動，很可能不經意的就被忽略了。

天才安培找出電流的規律

這個重大發現，很快就傳到德國、瑞士、法國等地。科學家們紛紛捲起衣袖，重複做起厄斯特的實驗，想進一步找出電生磁現象的背後有沒有什麼數學規則。

其中，精通數學的安培（André-Marie Ampère）在短短的一週內，就找出電流與磁針偏轉方向的「右手定則」；過了一週，又發現平行導線間會出現的相吸、相斥的現象。

安德烈-馬里・安培
1775～1836
法國物理學家

右手定則的英文名為「Right Hand Grip Rule」。其中Grip意為「抓握」，意思就是想像我們用右手的拇指朝向電流的方向並握住導線時，其他手指彎曲的方向就是磁場的方向。

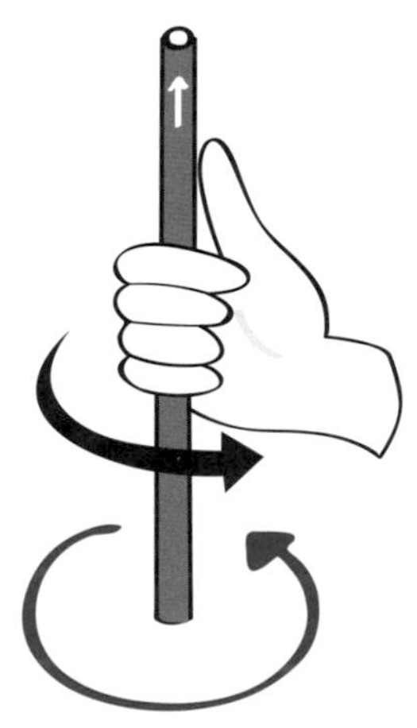

導線相吸

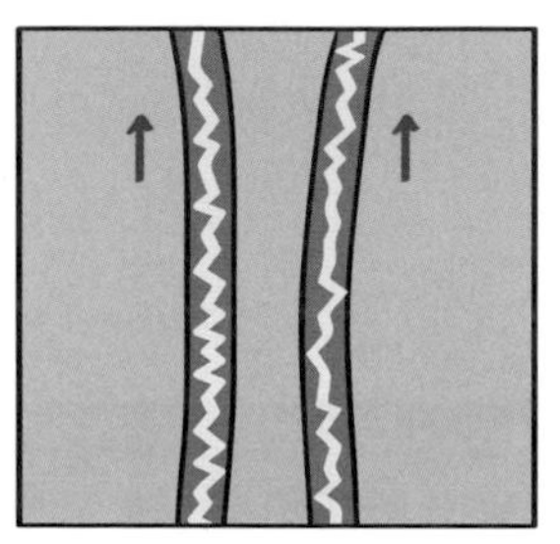

導線相斥

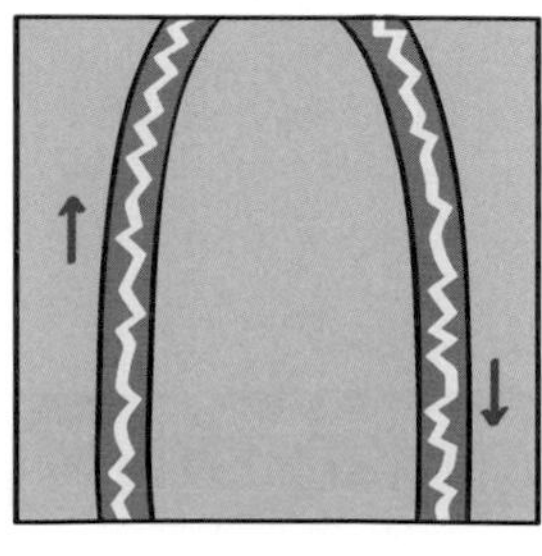

在電學研究上，安培的確是個快手。第二年他更提出一個「分子電流」的假說，認為在導線裡，有一種帶著特定電荷的微小粒子，只要這些粒子運動就會造成電流、引發磁場；電和磁本一家，都可以用這種粒子運動來解釋。

只可惜這種分子電流的想法太過前衛，在當時引起不少反彈，直到七十年後，人們真的發現一種帶電粒子——「電子」，才驚嘆安培的遠見之明，尊稱他為「電學中的牛頓」。

而至於厄斯特呢？除了繼續他的科學研究之外，生性浪漫的厄斯特終其一生都沒有停止寫作，在人生即將結束前，他還發表了《大自然的靈魂》（The Soul in Nature）散文集，闡述他一生追求的目標，正是謝林自然哲學裡所提到的「物質與精神的合一」。不只如此，他還經常大談「物理」中的「美感」，「科學」裡的「詩意」，和「物質世界」的「靈魂」，讓當時的許多科學家——尤其在德國以外那些不流行謝林哲學的地區——看得一頭霧水，大翻白眼。

或許天才科學家的大腦與常人不同，而厄斯特集詩人、哲學與科學、理性感性於一身，一般人就更難理解了吧。

快問快答

1 安培的右手定則簡單好記。但如果通電的導線不是長長直直的，而是彎曲的線圈呢？

安培都很仔細的研究過了喔！他研究「電生磁」現象所提出的右手定則其實有兩種，一種用在長直導線，一種用在螺旋型線圈：

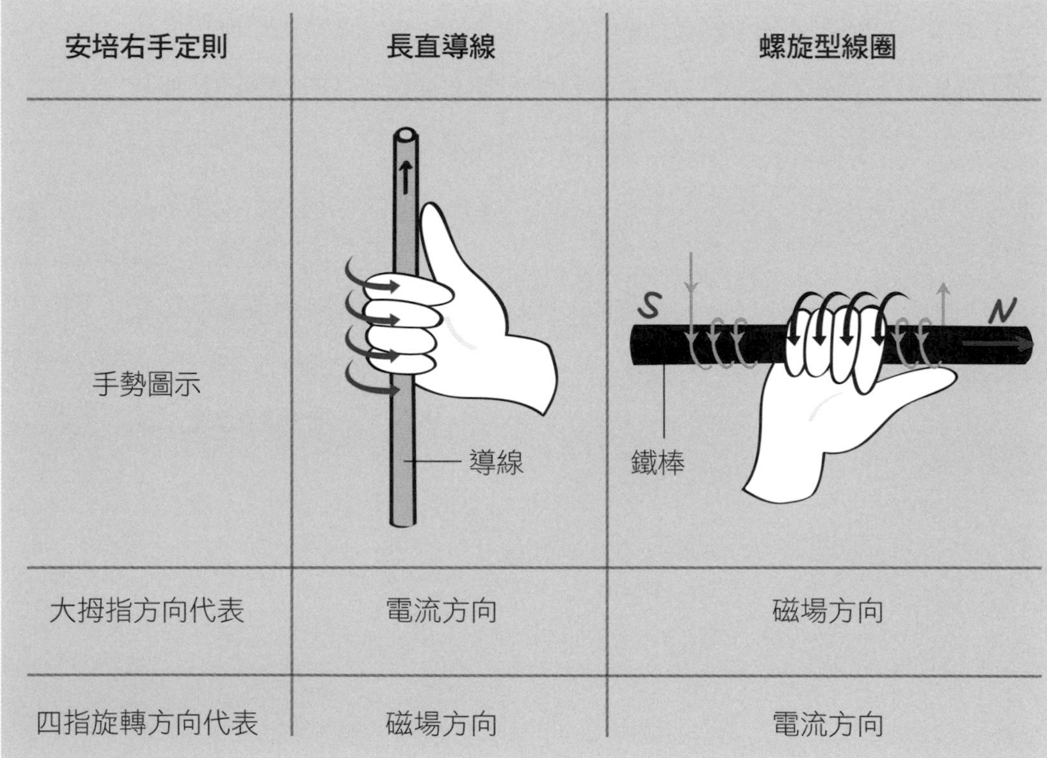

安培右手定則	長直導線	螺旋型線圈
手勢圖示		
大拇指方向代表	電流方向	磁場方向
四指旋轉方向代表	磁場方向	電流方向

另外，安培還開發了一個「右手開掌定則」，用來判斷載流導線與外加磁場之間的作用力方向。它的手勢就是將右手打開，大拇指對準電流方向，另外四指指向磁場方向，那麼手掌朝向的垂直方向就會是導線的受力方向。

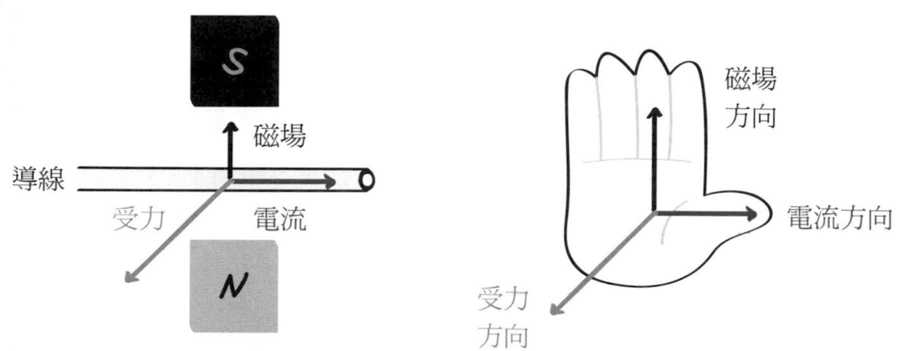

2 性格浪漫的厄斯特難道在發現了電生磁之後就接著寫作，沒有再做研究了嗎？

千萬別誤會！厄斯特雖有浪漫文人的一面，他也仍然是個實事求是、踏實認真的科學家喔！他在1825年領先全世界分離出了「鋁」元素，兩年後，另一位化學家利用創新的方法得到更純的鋁；有趣的是，當時的鋁因為得之不易，價錢竟然比黃金還貴！聽說法國的拿破崙三世曾在宴會上，特別用昂貴的「鋁」製餐具招待貴賓，而其他普通來賓比較可憐，「只」能委屈一點使用「金」製餐具！哈！

3 既然電流流動就會產生磁場，那我們家裡電線這麼多，不就到處產生磁場嗎？會不會害我們生病？

舉一反三，你的聯想非常正確！「電生磁」，我們使用家電時的確也會產生磁場。但到目前為止，科學家一般都認為磁場「不會」影響人體健康。我們無時無刻都被「地球磁場」籠罩，也沒有因此而生病呀！會影響人體健康的是能量高的游離輻射電磁波喔，別搞混了！

承上題。但我常聽人家說居家的「磁場」很重要，家裡的「風水」或「磁場」如果不好，做什麼事情都會不順利！

坊間談論居家風水時所說的「磁場」不是科學上所指的磁場啦！許多江湖術士老是愛把「人體磁場」、「靈魂磁場」、「住家風水磁場」掛在嘴邊，他們只是用「磁場」這個詞來描述那些看不見的、在無形中運作的力量。可憐的「磁場」，經常被亂用，你可別跟著誤解喔！

LIS影音頻道

【自然系列—物理 | 電磁學05】（電流磁效應）磁針一轉天下知

相信電和磁是一樣的厄斯特，花了二十年通電各種物質，但就是無法吸東西。還好他發現放在通電導線旁的指南針會轉動，才知道是「電流」產生磁力！

【自然系列—物理 | 電磁學06】（安培右手定則）安培的華麗生活

200年前的超狂富二代，用一隻右手改變人類發展史！安培在電與磁的研究風潮中，產生一個想法：他想著，到底是電生磁？還是磁生電呢？如果厄斯特發現電流會讓磁針偏轉，那磁針偏轉的方向會不會有規律呢？電流和磁力的大小可以用數學算出來嗎？

第16課

奠定電學基礎

歐姆

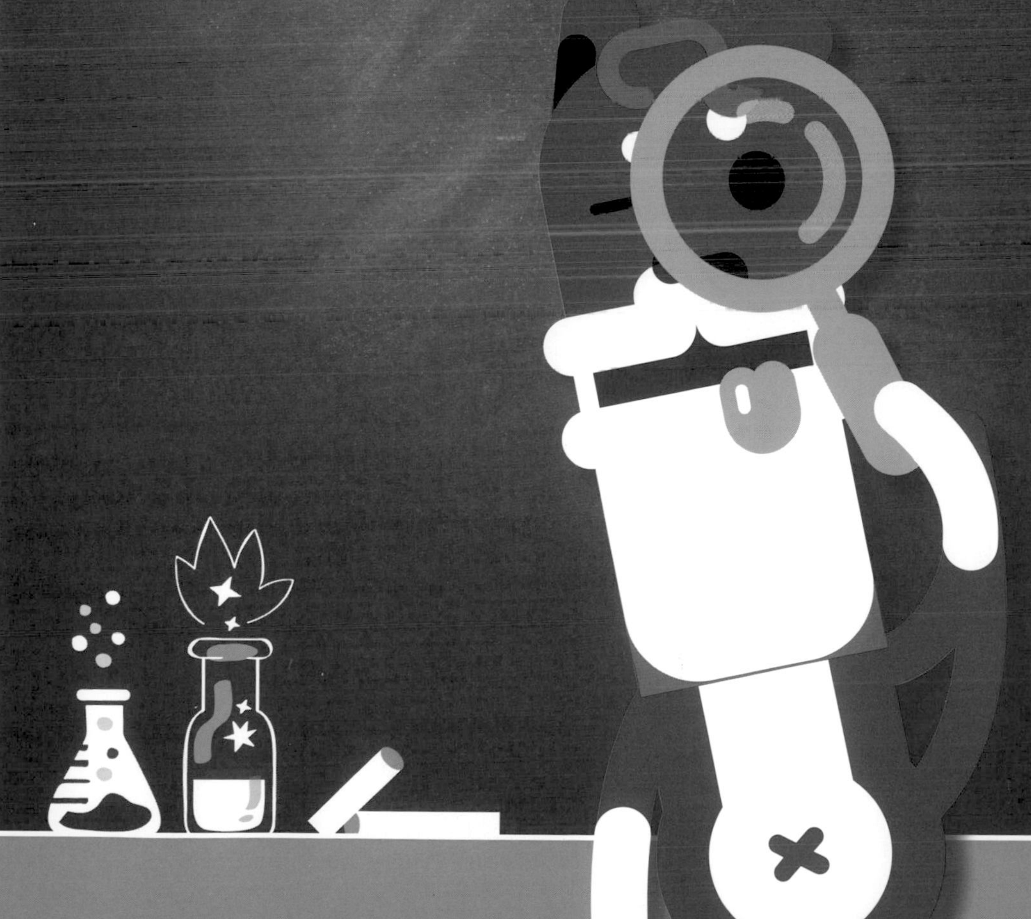

從這個實驗可以知道，

$$電阻=\frac{電壓}{電流}$$ ……

奇怪，總覺得
好像有什麼……

在你的生活之中，聽過的「歐姆」，我想至少應該有兩種吧？一種是軟嫩香滑又好吃的「歐姆蛋」；另一種則是硬梆梆、用力啃（書）也不見得吞得進去的「歐姆定律」。

歐姆定律 $R=\frac{V}{I}$，
也就是電阻＝$\frac{電壓}{電流}$

發現歐姆定律的人有兩個，一位叫做歐姆，一位不叫歐姆，這兩人一前一後，一窮一富，一個在明一個在暗；總之他們的人生有如天壤之別，卻同樣建立起歐姆定律，把十九世紀的電路研究推向另一個高峰。我們在現代生活中處處可以享用乾淨、便利的電，真要感謝這兩位先鋒。先來說說這位跟定律名稱相同的歐姆吧。

人生際遇不佳的歐姆

蓋歐格．西蒙．歐姆（Georg Simon Ohm），他的人生簡直是一段挫折與失敗交織的血淚史啊！1789年，他出生於德國的大學城埃爾朗根，爸爸是鎖匠，媽媽是裁縫師之女，因為家貧的關係，小歐姆的許多兄弟姐妹都夭折了，只有他和一個姊姊、一個弟弟活下來，母親也在他十歲時就過世了。

還好歐爸天資聰穎、勤奮自學。即使沒錢送孩子上學讀書，還是自己教導孩子學習數學、物理、化學甚至哲學。後來，歐姆雖然上了幾年高中，高中教的科學內容，都還不如歐爸教的知識來得深呢。

1805年，16歲的歐姆好不容易有機會到埃爾朗根大學旁聽，但是嚴厲的歐爸卻覺得歐姆不夠用功，一氣之下就把歐姆送去瑞士，到一所中學當數學教師。

歐姆因為生活困苦，一輩子都沒正式上過大學，但是他對數學和電學充滿熱情，所以一邊擔任老師賺錢，還是一邊努力自修。所以後來，歐姆回到家鄉，就以《光線和色彩》為論文題目拿到博士。不過，就算有博士學位，歐姆求職總是不太順利；不管是在大學裡當講師，還是在中學教物理、數學，薪水都非常微薄。

歐姆感覺沒有伯樂欣賞他的才能，特地認真寫了一本基礎幾何的教學書，結果書還沒幾個人看過，任職的學校卻倒了！

直到另一家耶穌會辦理的中學給歐姆捎來聘書，歐姆才重新燃起希望，原因不是因為這所中學聲譽卓著，而是這所學校有設備齊全的物理實驗室，歐姆去了那裡如魚得水，終於可以利用器材好好研究「電學」！他把這個機會當成一次人生的賭注，希望鑽研當時還不是很多人研究的電學，能讓他有揚眉吐氣的機會。

電學賭一把

蓋歐格・西蒙・歐姆
1789～1854
德國物理學家

$$\text{電阻} = \frac{\text{電壓}}{\text{電流}}$$

這個在電路學裡最基本的電學公式，看起來並不複雜。但其實，在歐姆準備大展身手投入電學研究的那個年代，厄斯特才剛發現電流會生磁，安培也才找出磁場方向規律的右手定則。人們對「電壓」、「電阻」這些名詞壓根沒概念，歐姆其實是走在時代的前端，自己把它們「發明」出來的。

當時，法國的物理學家傅立葉（Jean Baptiste Joseph Fourier）在研究熱的傳導時發現——

讓・巴普蒂斯・約瑟夫・傅立葉
1768～1830
法國數學家、物理學家

歐姆受到傅立葉的啟發，思考著：

「換句話說，是『溫差』驅動了『熱的傳導』。這種熱的現象套用在『電』的方面，會不會也一樣呢？又是什麼驅動了電的流動？」

歐姆推測電流有一種驅動力，他想模仿傅立葉證明：「在導線上兩點間的驅動力差別（也就是今日的「電位差」或「電壓」）與電流成正比。」意思就是說，「電壓越大，電流就越大」。

或許你會認為把電和熱聯想在一起，有點亂槍打鳥的感覺。但事實上當時的人們還不很確定熱和電是什麼，直覺認為熱和電都是種會流動的「液體」（熱的液體被稱為熱質，請見第13、14課），會從溫度高往溫度低流動，或從高電荷往低電荷流動。所以歐姆會想把熱套用到電，不是沒有道理。

不過，要驗證這個猜想並不容易。其中一個重要原因是當時的電源是伏打電堆，有時候光是電池中的溼鹽布乾掉了，電力就會突然減弱，導致實驗失敗。

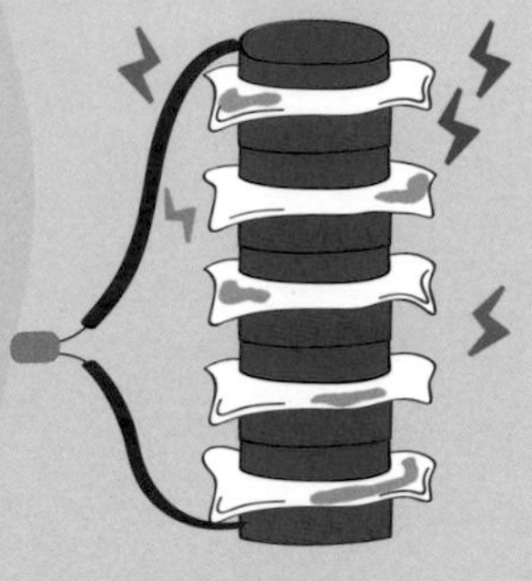

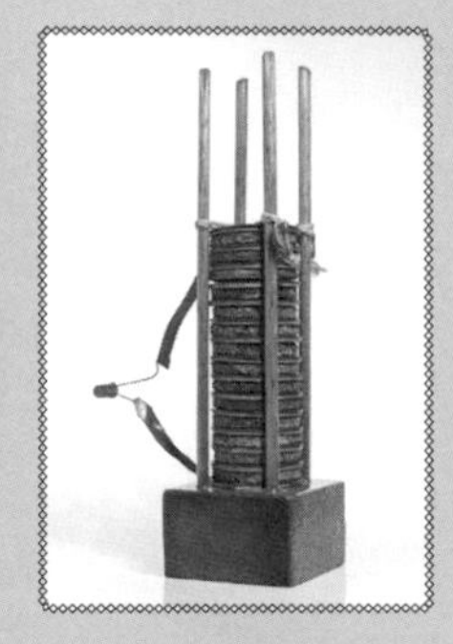

義大利化學家伏打（Alessandro Giuseppe Antonio Anastasio Volta，1745－1827）在1800年發明的伏打電池，是以兩種金屬間夾著溼鹽布層層堆疊起來的電力裝置。堆疊越多層，電力越大；如果鹽布乾掉，電力就無法流動。

還好，歐姆的好友波根多夫（Johann Christian Poggendroff，1796-1877）建議他改用澤貝克（Thomas Johann Seebeck，1770-1831）發明的溫差電池，電源不穩的問題就解決了。可見科學家之間的交流是很重要的，互相的討論可以激發靈感、解決問題。

歐姆以澤貝克的理論所改造的溫差電池。
因為碎冰水的溫度固定是0℃，
沸水溫度固定是100℃；
所以導線內的電流非常穩定。

溫差電池的原理

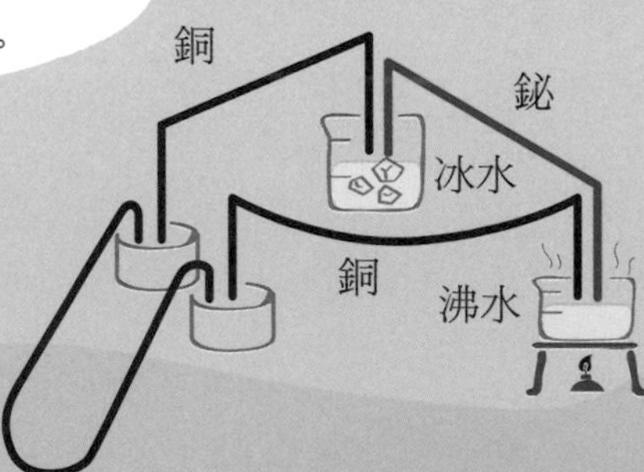

最早的電流計

歐姆面臨的另一個技術難題，是如何測量「電流」。當時有人根據電流的磁效應做成一個最早的電流計，名叫「倍加器」（multiplicator），但是倍加計的靈敏度很差，如果用倍加器，他的實驗一定漏洞百出。

「我想想……不如先用熱脹冷縮的原理試試好了。」歐姆想出了另一個方法：

利用電流使導體變熱，產生熱脹冷縮的程度差別，來測量電流的大小。但是結論跟倍加器一樣效果不佳，他只好放棄，自己動腦筋重新開始。他改良庫侖的電扭秤（請見P38）加上厄斯特的電生磁效應，發明一種「電流扭秤」。把磁針與溫差電池的導線平行放置，只要導線中一通過電流，測量磁針偏轉的角度就能判讀電流的大小。

電流扭秤

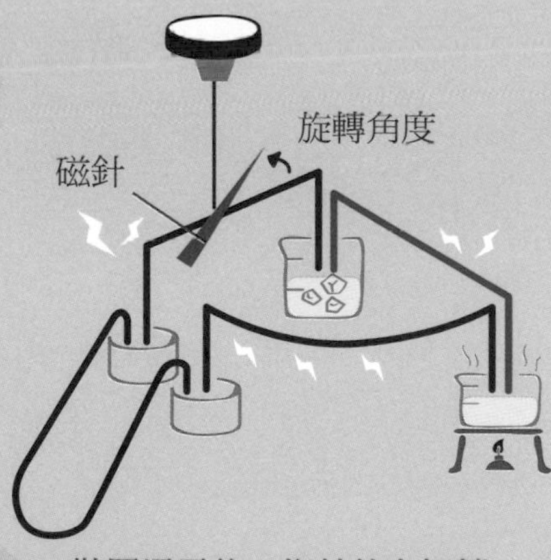

裝置通電後，指針就會扭轉。

好了！兩個裝置難題解決後，歐姆終於可以正式展開實驗。

他利用八根粗細相同、長度不同的板狀銅絲，接入電路裡，從實驗結果發現：

當電線長度增加（電阻變大）時，磁力減小，也就是電流變小了！這個結果再經過數學的推導，結果的確如他所料：兩點間電流驅動力的差（電壓）與電流成正比！

興奮的歐姆決定破斧沉舟，乾脆跟學校請了一年的假，只領一半薪水，到柏林找他弟弟，專注的發表兩篇重要論文，和一本著作《直流電路的數學研究》，用數學化的形式提出今日我們所稱的歐姆定律，清楚分析電路中的電壓、電流及電阻之間的基本關係。

歐姆的這本書對電路理論影響重大；應該可以如願成為大學教授，不用再回到沉悶的中學教書，受中學生的氣了吧。

歐姆可能是沒
有我幸運，遇到
像你們一樣的
中學生吧。

但可惜，歐姆的研究一推出既不叫好，又不叫座。因為在當時的德國，謝林的自然哲學（請見P72）當紅，許多學者欣賞的是電與磁合而為一的浪漫精神，而不是歐姆這種結合實驗和數學硬梆梆推導出來的研究結果。

奇怪，好像跟
厄斯特的那個
時代不一樣。
唉，風水輪流轉，
科學世界也是會
跟流行的。

所以歐姆想借著電學研究出人頭地的希望還是落空。這對可憐的歐姆來說，真是沉重的打擊，因為當時的他已經38歲（當時，西歐人民平均壽命大約只有36歲），無妻無子、事業無成，連生活溫飽都有問題，只能淪落到當私人家教維生。

不過在1841年，遲來的掌聲終於響起，歐姆的研究成果在國外獲得青睞。已經52歲的歐姆得到英國皇家學會最高榮譽的科普利（Copley）獎章，而且從國外紅回國內，受邀成為巴伐利亞科學學會的正式會員，並在1852如願以償當上慕尼黑大學的實驗物理學講座教授。可惜的是，短短兩年後，歐姆波折的人生就走到盡頭。幸好歷史上留下以他為名的歐姆定律，以及作為電阻的現代國際通用單位「歐姆」。

看到這裡，你是不是也為歐姆孤獨坎坷的一生哀嘆呢？其實，歐姆波折之路根本還沒有完。在他死後約莫二十年，有人突然發現，原來最早發現歐姆定律的人，根本不是歐姆！而是一個號稱「最強邊緣人」的神祕人物——卡文迪西（Henry Cavendish）。

這幾乎是隱形人了吧。

你們應該沒有在討論我吧……

別小看他，他可是牛頓之後英國最偉大的科學家喔！

亨利・卡文迪西
1731～1810
英國物理學家、化學家

天壤之別的科學人生

有人曾說：「卡文迪西是有學問的人中最有錢的，也是有錢人中最有學問的。」這個邊緣人物的家世可說是非常顯赫，他的祖父、外祖父都是「公爵」！公、候、伯、子、男，公爵是貴族爵位中的最高等級，卡文迪西的家境自然就是又富又貴。他的父親也是朝中大臣，並醉心於科學研究，早就是英國皇家學會的重要成員。看來，卡文迪西遺傳了父親的科學嗜好。但是他個性卻十分古怪，幾乎不說話，怕生到幾近病態，不管跟誰接觸都會坐立不安，就連在自己家裡，還用紙條點餐，甚至打造個人的樓梯、入口，只為躲開管家和成群的僕人。

科學、科學、科學。

那個卡文迪西啊，不是很有錢嗎？瞧他穿的，沒有一件衣服扣子是完整的。

我們拿歐姆跟卡文迪西的人生比較。歐姆窮到無法上學，卡文迪西卻進了貴族學校，還有私人家教；歐姆遺憾從沒正式唸過大學，卡文迪西卻因為教授在考試加入神學「污染」科學，而在畢業前夕白白放棄學位；為了出人頭地的歐姆，必須寄人籬下借用中學的實驗室做實驗，而卡文迪西卻把自家的豪宅改建成設備昂貴的實驗室、私人圖書館，還有無數的僕人、女侍伺候他的一切生活需要。為了溫飽，歐姆花錢錙銖必較，必須當私人家教賺取微薄的薪水；卡文迪西卻平白繼承大筆的遺產，富有到完全沒有金錢觀念，曾經開可以買一棟城堡的巨額支票讓僕人去看病。歐姆明明有博士學位，卻得經過漫長的奮鬥，在五十幾歲才終於進入英國皇家學會；卡文迪西連大學學位都沒有，卻二十來歲就跟著貴族父親進出皇家學會的高級餐會，就像逛後花園似的……

更重要的是，歐姆為了改善生活，必須努力發表論文、撰寫書籍、推銷自己；卡文迪西卻從來沒必要在意別人的看法，把所有的實驗結果和個人發現，只記錄在自己的私人手稿裡。在他死後，這些手稿繼續留在書櫃中——直到約莫七十年後，才輾轉流入一位後輩馬克士威（James Clerk Maxwell，1831－1879）之手，馬克士威一研究起來不得了！原來，最強邊緣人卡文迪西自己關在實驗室裡，默默發現了二氧化碳、硝酸、惰氣，並分離出氫氣，用氫和氧化合成水；這在當時都是創舉。他還靠自己的力量量出地球的密度，用扭秤測出萬有引力常數！而更令人驚訝的是，他比庫侖早至少10年發現「庫侖定律」，比歐姆還早46年發現「歐姆定律」！天啊，如果不是卡文迪西把這所有的一切都藏在手稿裡面的話，現代課本裡的

$$\text{電阻}=\frac{\text{電壓}}{\text{電流}}$$

可能就不叫「歐姆定律」，而是「卡文迪西定律」了！

庫侖

歐姆

卡文迪西

快問快答

1 我聽說鳥站在電線上不會被電到，是因為鳥身體「電阻」比電線大！鳥又不是電子零件，為什麼會有電阻呢？

不是電子零件也照樣會有電阻，你我的身體也一樣！到目前為止，世界上幾乎找不到沒有電阻的物質。電阻是電子流動時所受到的「阻力」。電流如同空氣、水流，遭遇環境中的阻力（碰撞到原子或分子）就會減緩前進的速度。所以碰到鳥和人體當然也不例外。

你提到的現象，就是因為電流會選擇「電阻較小」的通路通過；所以當小鳥雙腳站在同一條電線上時，電流會選擇流過電阻小得多的電線，而不是小鳥。好險，不然可憐的鳥兒就會變成烤小鳥了！

2 上題提到「世界上『幾乎』找不到沒有電阻的物質」，可見的確存在零電阻的物質，那是什麼呢？

我說「幾乎」，是因為我們的環境大多處在常溫、常壓，這樣的情況下所有物質都有電阻。但有些物質像汞、鈮鍺合金、鑭鋇銅氧化物等在極端低溫環境，例如接近絕對零度（-273.15°C），就會搖身一變成零電阻的「超導體」！當然也有不需要這麼低溫的超導體，像是-23°C時的十氫化鑭就是一種「高溫超導體」。因為超導體零電阻又有抗磁性，在強大磁場的核磁共振儀器中就能派上用場。

3 新聞報導常說，電線短路造成電線走火引發火災，電線「短路」是什麼意思？

簡單講，只要電源接出來的線沒有經過電器而接通，就會形成「短

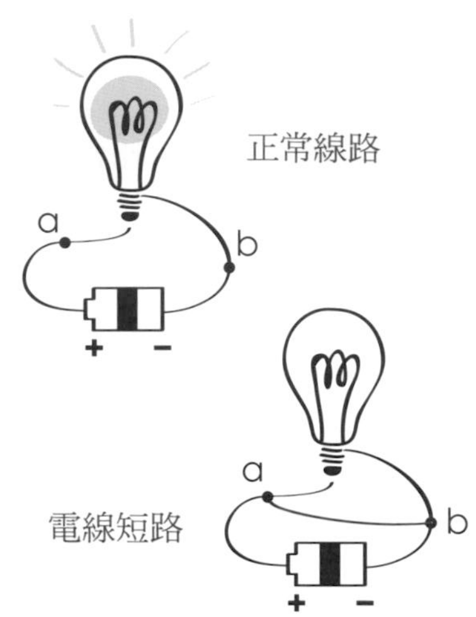

路」。用電池和燈泡舉個例子：

上題提到電流會選擇通過電阻較小的線路，看看下圖短路的裝置，燈泡就像前面說的小鳥，電阻比ab之間的電線大，所以電流不會通過燈泡（因此燈泡不亮），而選擇通過ab段電線。這下問題來了，根據歐姆定律，電阻與電流成反比；在某些短路的狀況下，電流通過的導線電阻極小，以致於電流很大，造成導線的溫度急遽升高，甚至起火燃燒！

明明電路裡流動的，是電子從負極流向正極。為什麼不乾脆用「電子流」就好，還要規定「電流是從正極流向負極」呢？

富蘭克林

沒辦法。從富蘭克林開始就規定了「電流是從正極流向負極」，因為當時的科學家真心認為，有一種電流體會從「多餘」的地方流向「缺少」的地方；直到十九世紀末英國的物理學家湯姆森（Joseph John Thomson，1856～1940）（請見《化學課》第19課）發現「電子」，才知道是帶負電的電子從負極流向正極。不過因為時間已久，大家也用習慣了，所以至今改不過來。

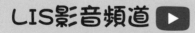

LIS影音頻道

【自然系列—物理｜電磁學09】（歐姆定律）令人討厭的歐姆的一生

熱愛數學跟物理的歐姆，希望能跟安培一樣用數學解釋電流。沒想到在當時推崇思考不講求實驗的社會卻完全不被認同……

第17課

電生磁，所以磁也生電？

法拉第

E=MC² F=ma

接下來，
要講「麥扣」的故事！

電生磁，
磁生電

不是那個麥扣啦～

WOW！太棒了！

在人們開始認識到電與磁的內在關聯後，就開啟了十九世紀的「電磁時代」。人們原本以為，電磁之間沒有瓜葛，但在1820年，厄斯特竟發現「電會生磁」（請見第15課）！科學家們的大腦很快就浮出下一個問題，既然電會生磁，要是反過來——磁也會生電嗎？

這在當時是最熱門的科學問題之一。許多科學家揣著伏打電池、一捆捆的導線、線圈與指南針，拚命想證明磁力與電力其實是同一種力。但是大多數人都失敗了，真正成功的第一人是英國紐因頓出身的鐵匠之子麥可．法拉第（Michael Faraday）。法拉第雖然有著「麥可」這樣的菜市場名，在那個年代卻是與小說家狄更斯同享盛名的歐洲傳奇人物。由於他步入「電」壇的過程實在太勵志了，所以讓我們從他的童年說起，再進入他發現磁生電的科學過程。

麥可．傑克森

麥可．喬丹

勤奮創造機會

麥可．法拉第出生在貧困的鐵匠之家，在四個孩子中排行第三。因為爸爸健康不佳經常無法工作賺錢，所以他很年輕就輟學，開始掙錢養家糊口。十三歲的小法拉第，第一份工作是送報紙。當時的報紙與現在不同，是由好幾戶人家輪流傳閱，法拉第的工作就是在前一家人看完報紙後，把報紙送去下一戶人家。因為他勤奮認真，老闆免費收他做裝訂廠的學徒，經過幾年學習，就能正式為人裝訂書籍。

當時的書籍也與現在不同。很多人會買書籍的散冊，然後請工廠幫忙裝訂成自己喜愛的模樣，所以書籍常會留在裝訂廠好幾天。法拉第就趁著午休或晚上空閒時，一本本的把這些昂貴的書讀完，培養出對科學的興趣，尤其是化學和電學。

那時裝訂廠有位老主顧是英國皇家研究院的會員。他疼惜法拉第這年輕人勤奮好學，就送了四張化學家漢弗里．戴維爵士（Sir Humphry Davy）的演講會入場券給法拉第。戴維這位倫敦的大明星（見《化學課》第11課）在皇家研究院的科學演示場場爆滿，票價雖昂貴，每次仍吸引滿座的上流紳士與名門淑女。興奮的法拉第當然不會浪費這個大好機會，他不但用耳朵聽、用眼睛看，手還忙個不停寫下演講重點，並把實驗裝置用素描記錄下來，最後用他最拿手的裝訂技術做成一本精美的書。

在十九世紀初期，科學演示是上流社會時髦優雅的社交場合。每次演講都能吸引數百甚至上千人買票入場。門票收入也是當時研究院經費的重要來源。

經過這場科學洗禮，年輕的法拉第整顆心都飛到科學那邊去，不想再當一個裝訂工了。於是他毛遂自薦寫信給皇家研究院的院長，但根本沒有回音。因為那年代的英國社會階級分明，像法拉第這樣的工人連紳士都談不上。然而法拉第不氣餒，直接寫信給戴維，還附上聽講時做的精美筆記，但這封信同樣石沉大海。直到有一天，戴維做實驗時發生爆炸。他眼睛受傷，急需一位助手幫他記錄實驗，這才想起那個寄來精美筆記的年輕人，緊急把法拉第找來幫幾天的忙。

更幸運的是，幾個月後，皇家研究院一位助理不知為何跟同事吵架而被解雇。戴維很快的推薦法拉第接手這個助理職位，薪水是一週25先令，暖爐燃料免費，還可以住在研究院頂樓宿舍的房間裡。

就這樣，法拉第好不容易進入科學殿堂，達成以科學為職業的夢想。沒想到才過半年又有變化。戴維打算啟程去歐洲各地拜訪科學家，並到法國受領拿破崙頒發的科學獎章。當時的法國正在和英國打仗，戴維的僕人不願冒險去敵國，戴維只好堅持要法拉第同行；法拉第一路上除了幫忙做實驗，還被戴維夫人當成僕人般羞辱、使喚。當他終於再回到皇家研究院後，如何從只上過幾年學的裝訂工人鹹魚翻身，被認可為真正有能力的科學家呢？關鍵就在1821年，法拉第提出「電磁轉動」，而這正是榮耀與麻煩的共同開端。

被當成僕人雖然不開心。但這場壯遊對法拉第來說，就像「出國深造」，科學功力大增！

電磁轉動與電磁感應

麥可・法拉第

1791～1867

英國物理學家

1820年，厄斯特發現電生磁的消息傳開沒多久，戴維的好友沃拉斯頓（William Hyde Wollaston）就跑到研究院跟戴維熱烈討論這件事。尤其才過了半個月，安培又發現通電的導線間會有相吸、相斥現象（請見P76）；沃拉斯頓便更常出現，跟戴維一起做實驗並談論看法。

威廉・海德・沃拉斯頓

1766～1828

英國化學家、物理學家

安培認為，電流的磁效應是因為導線裡有「分子電流」，你覺得怎麼樣？

我同意。我也認為電流在導線裡面很可能是分子以螺旋前進……

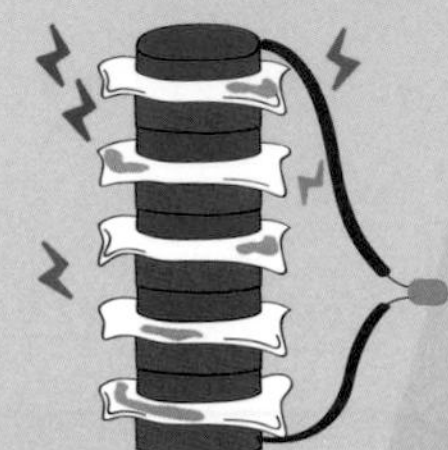

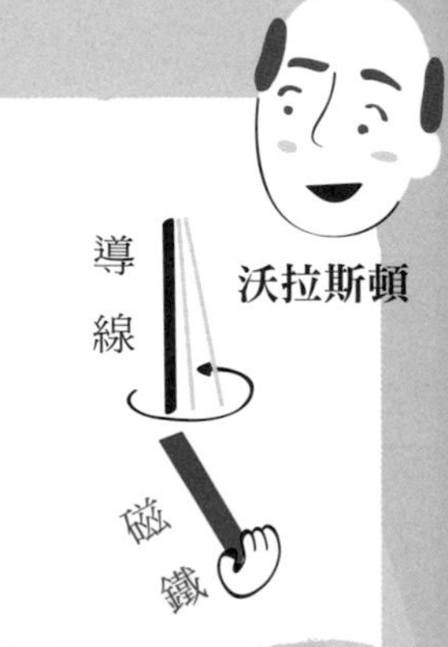

「我想再多了解一些，你再說詳細一點。」戴維對沃拉斯頓的想法充滿好奇。

「我想，用磁鐵靠近一條直直掛起的金屬導線，會讓導線以磁鐵為軸繞轉，像這樣……」沃拉斯頓用筆在紙上畫出心裡預測的樣子。

可是後來一直沒辦法做出實驗，印證他心裡的這個想法。

原本，科學家做不出實驗也不是什麼大不了的事。可是偏偏沃拉斯頓向戴維提出這個想法的時候，法拉第也在場。那段時間剛好有人邀請法拉第撰寫一篇電學主題的文章，所以法拉第把過去相關論文都研究過、又把實驗全部親自做過一次，如此一深入探討後，法拉第對電磁問題的興趣就一發不可收拾。沒多久，法拉第就設計出一套實驗，驗證自己心中的推論。

他在兩個裝入水銀的玻璃瓶底部插入導線，並且兩邊設置不同的裝置如下：

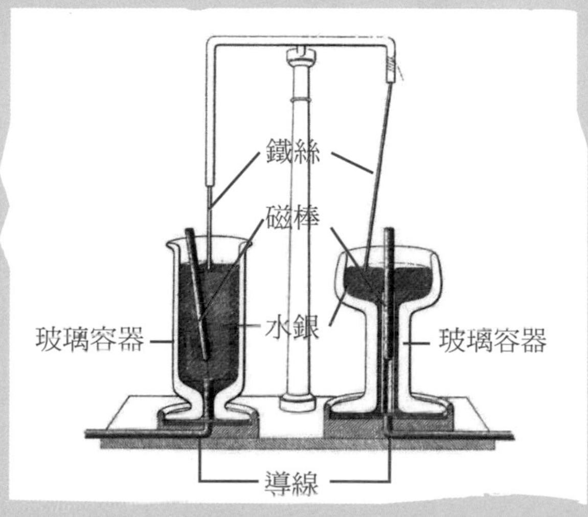

法拉第用導電的水銀代替導線。真聰明，這樣就可以自由轉動，不會打結了！

結果通電以後，左側下方的磁棒繞著上方鐵絲轉動，而右側上方的鐵絲也繞著下方的磁棒轉動。

「哈哈，好像在跳華爾滋！太美妙了！」法拉第興奮的把這種現象稱為「電磁轉動」。這個裝置可能是史上最早的電動機（也就是現代馬達的雛形），雖然構造還很簡陋，就像玩具一樣，卻很快就會改變全世界。法拉第來不及通知沃拉斯頓，就急著寫論文在科學期刊上發表了。這篇論文當然帶來不少的掌聲，使各界開始認可法拉第是一個擁有獨立研究能力的科學家，卻同時帶來大麻煩——雖然法拉第的實驗和沃拉斯頓原先的設想有差異，但沃拉斯頓還是覺得法拉第「剽竊」他的想法，不但不承認法拉第的貢獻，還四處放話攻擊他。

看看你那
可惡的助理！

別氣了，
我幫你說說他。

自己實驗做不出來
有什麼好氣的呀？

戴維為了自己的朋友，對法拉第也不手軟。他不但以院長身分對外報告說，電磁轉動是由沃勒斯頓所發現的；還投下唯一的反對票，反對法拉第被選為英國皇家學會的院士。

這件事對法拉第來說是一大打擊。即使法拉第仍然成功當上院士，正式踏入科學家之林，他和戴維卻從此結下心結，師徒關係再也無法恢復以往。

其實法拉第心裡清楚，發現電磁轉動後的下個目標，就是要把厄斯特的「電生磁」反過來，研究如何讓「磁生電」。然而他為了避嫌，選擇把自己的電磁研究「冰凍」起來；頂多只能在有事沒事的時候，悄悄的在口袋裡把玩著磁針、線圈，並暗中在心裡盤算未來想要進行的實驗計劃。

幾年後，僵局突然有所改變。戴維因為早年做太多化學實驗傷到身體，對研究不再有熱情，終日以旅行與釣魚自娛。結果於1829年，在瑞士日內瓦旅行時意外過世。

法拉第得知消息後，心裡雖然感傷，卻也卸下一塊大石頭。現在不用顧慮恩師戴維的想法了，法拉第立刻重拾他對電學研究的熱愛，啟動「磁生電」的研究計劃。

1831年秋天降臨時，法拉第在偶然中，觀察到一瞬間的變化。

他在一個軟鐵環上，纏上兩段導線，一段接上電池，一段接上檢流計，如以下：

檢流計是用來檢測微弱的電流。

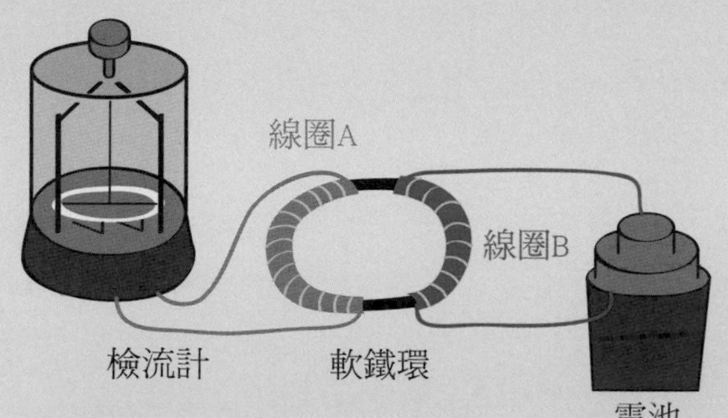

當時，大多數的科學家都預期磁能產生穩定的電流，也就是檢流計的指針偏轉後應該保持不動。但是法拉第不一樣，他注意到電線接通的那一瞬間，檢流計的指針偏了一下下，瞬間又回復到0。

「這應該是通電後，線圈B的電生磁，使軟鐵環帶磁；而軟鐵環的磁生電，又使線圈A帶電，但為什麼指針只動了一下，又轉到0？」法拉第想不透其中的道理。

「這一定代表什麼。我得再做些實驗，把它弄個清楚。」

過了幾個禮拜，他想試試在沒有電流的幫助之下，光靠磁力可不可以生電。於是他拿兩根磁鐵，和一根纏繞著線圈的軟鐵棒，依下圖排成三角形。然後，直接移動兩根磁鐵的一端往線圈靠近。

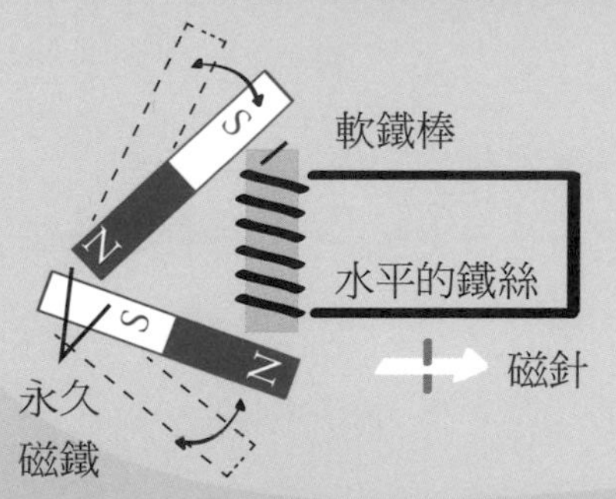

軟鐵棒是一種氧化鐵，可以暫時被磁化，不會導電。而置於鐵絲下方的磁針是用來充當檢流計，只要鐵絲有電流通過，電生磁，就會使磁針偏轉。

「動了、動了！」法拉第在研究院地下室的實驗室裡興奮的大叫起來。

「只要把磁鐵靠近線圈，鐵絲下方的磁針就會跟著擺動。」

「我懂了！這一切是因為，要有磁力變化才會生電！靜止的磁鐵根本不會產生電力。」

法拉第終於發現，之前把實驗想得太複雜。原來，簡單的用一根磁鐵插入或拔出線圈，就能讓線圈瞬間產生電流。

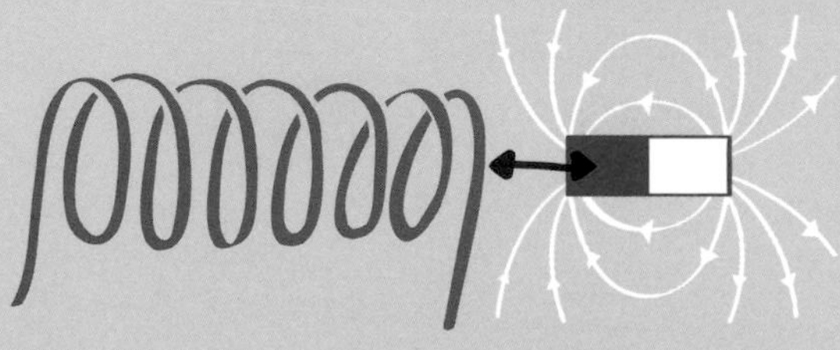

用現代的語言來說，就是磁鐵進、出線圈，使通過線圈的磁力線增加或減少時，線圈就會感應生出相反方向的電流來。這就叫做「電磁感應」。

歷史走到這裡，電生磁，磁生電，人們證實電與磁果真是天生一對，從此再也不分離了。

法拉第圓盤

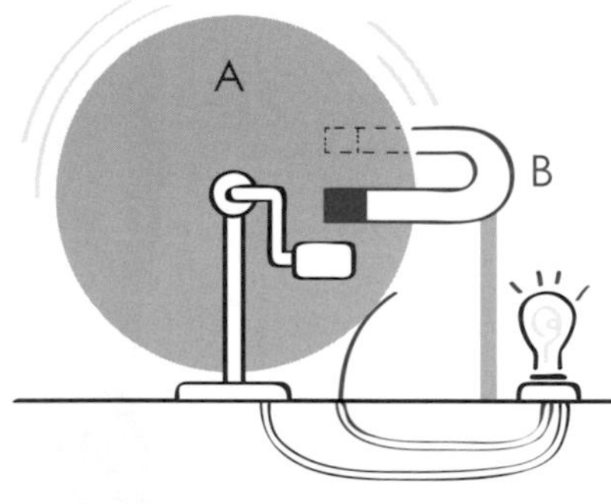

A是銅製的圓盤，B是馬蹄形磁鐵。只要旋轉把手，使銅盤轉動，電磁感應生成的電流就會從銅盤的中心流向邊緣，再經過電路使電燈發亮。

世界第一部發電機

法拉第很快的把實驗的結果寫成論文公開發表，而且利用「磁生電」的原理，設計出世界第一部發電機「法拉第圓盤」（Faraday's disk）。

雖然這部發電機缺點多多，發電量少又不實用，離現代的厲害發電機相差十萬八千里，但是它引爆人類社會的巨變，預示電器時代的來臨。今天我們有幸享受便利的電力生活，除了要大大感謝勤奮上進的法拉第之外，是不是也該謝謝那一位，因為吵架莫名被解雇，而使法拉第有機會進入皇家研究院，邁開大步走上科學之路的研究助理呢？

快問快答

1 我們每次在討論磁場時，常常會畫磁力線。磁力線是誰發明的？也是法拉第嗎？

發明磁力線的正是法拉第！法拉第雖然是偉大的電學家，卻沒機會接受數學訓練，當他看到像安培那樣的數學高手寫出來的數學式，當然覺得頭痛，一直想用更直覺簡單的方法取代複雜的數學。於是他提出磁力線的概念，在學界大獲成功，而且人人能懂；後來，法拉第又認識到磁鐵的周圍其實有無限多條磁力線，就像一個連續分布的「場」，所以他又提出「磁場」的概念。

2 第96頁的那張繪圖真有趣！請問圖最右側的那位先生，是研究院的院長在監督戴維做實驗嗎？

右邊那位不是院長，而是第14課提到的倫福德。事實上，倫福德是英國皇家研究院的創立者之一。他希望科學研究不是只服務貴族，也能為平民解決生活上的問題，便懷抱這個理念，出錢出力創立研究院，並提拔年輕的戴維成為主要講者。

只是後來倫福德跑去結婚了——當時收到法拉第來信的院長，主要處理行政與人事，沒把科學推廣放心上。如果法拉第早幾年寄信，遇上還在主導研究院科學事務的倫福德，也許能提早開始他的科學生涯。不過雖然晚了幾年，法拉第終究還是成為真正的科學家！其實科學家Scientist這個詞，首先就是用來稱呼法拉第，因為他是讓科學和平民生活聯繫起來的首位代表人物。在他之前，大部分的科學家都出身貴族或富裕階級，仍沿用「自然哲學家」這個稱謂呢！

LIS影音頻道

【自然系列—物理 | 電磁學07】（法拉第的電動機）磁鐵中的戰爭

1820年代，各種研究電與磁之間關係的實驗紛紛被提出……如果磁力來源真的是電，那手摸磁鐵時怎麼不會被電到？法拉第為何反對當時聲名大噪的安培？

【自然系列—物理 | 電磁學08】（電磁感應）電磁同根生

法拉第提出了電磁感應、發明了發電機，改寫了人類應用電的生活方式。那法拉第是從什麼實驗中發現電磁感應的？他又是如何觀察磁力改變？

第 18 課

發現能量守恆定律

焦耳

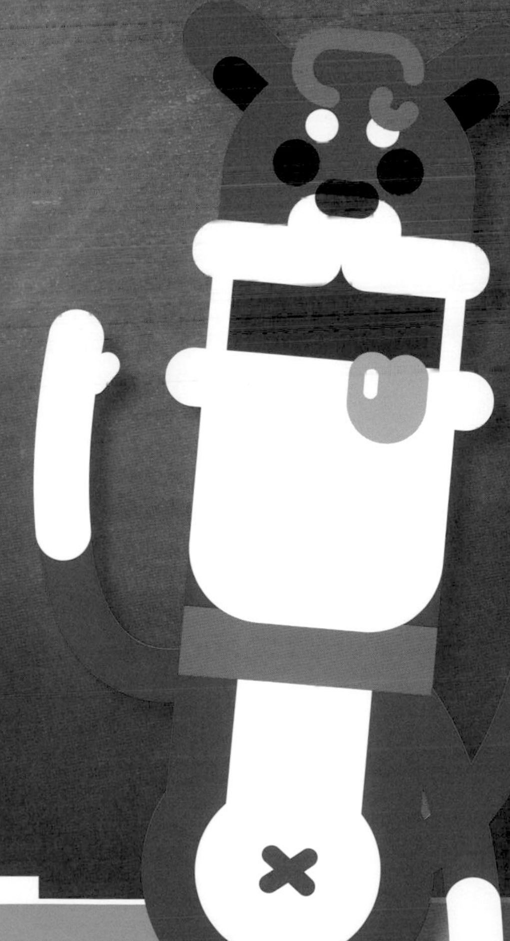

同學們，
熱是運動！
知道嗎？

這我早就知道了～

不是這個
意思啦……

時間進入十九世紀，越來越多的工廠與礦業如雨後春筍般出現，機器雷鳴似的轟隆聲劃破寧靜，工廠更加依賴蒸汽機，想將蒸汽機改良得更有效率的慾望也更加強烈。只不過，工程師們在摸索改良作業時，個個都只是照著「經驗」、「感覺」走，實際上對於熱能如何轉變為機械運動的理論，根本不清不楚；更何況，眾人對「能量」這件事都還沒有任何明確的概念。

永動機是夢幻的
賺錢機器！

這從十九世紀初期，「永動機」（perpetual motion）風潮又突然席捲歐洲，就可以看得出來。

永不停止的永動機

當時只要有人一宣稱：「我發明了一部永動機！」必定在各地引發陣陣騷動。人們想做出的永動機，是「不需要輸入能源，就能持續運轉，永不止息」的機器；這樣就能有源源不絕的動力，可以發電、磨麵粉、紡紗、抽水……帶來的財富一輩子都用不完。聽起來多有吸引力！其實打從1159年，印度的數學家巴斯卡拉（Bhaskara the Learned，1114-1185），就絞盡腦汁設計出永不停止轉動的「巴斯卡拉輪」。

拜託你一直
轉轉轉下去吧～

巴斯卡拉輪的設計，是利用輪子旋轉時水銀在輪內的流動，使輪子的一邊永遠比另一邊重，所以可以不停的旋轉，直到永遠。

結果這件事難上加難，巴斯卡拉並沒有成功。後輩科學家們再接再厲，不少人像著魔似的，投注一生研究永動機——

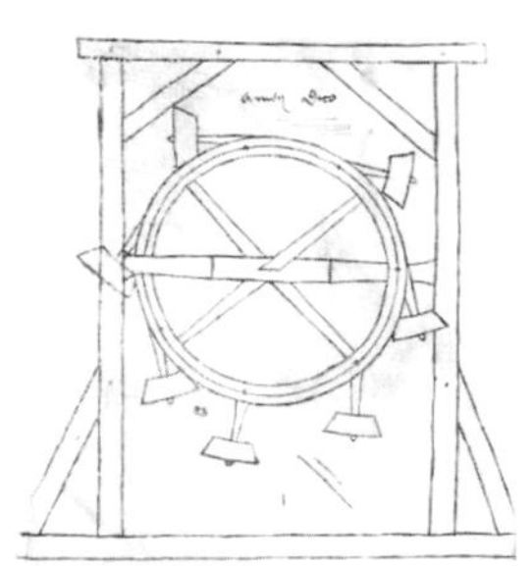

十三世紀的亨內考（Villard de Honnecourt）魔輪，輪上小槌自然下垂，使輪子兩邊不平衡而轉個不停。

十五世紀的達文西（Leonardo da Vinci）鋼珠在輪子軌道裡自由滾動，輪子就會不斷旋轉。

十六世紀的弗拉德（Robert Fludd）永不停止的螺旋抽水機，可使磨坊裡的石磨不停旋轉。

十七世紀的波以耳（Robert Boyle）利用細管的毛細現象不停的把水往上吸出，不停的自動循環！

二十一世紀的嚴八

呃，看起來應該是……運用磁力前進的永動「車」。

猜猜看，以上幾款「永動機」，哪一個可以永不停止，真正運轉到天荒地老？事實上，他們全部都失敗了。換句話說，千年來痴迷於永動機的設計建造者，從來沒有成功過，一個都沒有。

自動輪的騙局

不只如此，永動機的魔力還引來想出名或發財的騙子。1714年，有位筆名叫奧爾菲留斯（Orffyreus，本名為 Johann Ernst Elias Bessler，1680－1745）的德國人，宣稱自己發明出「自動輪」，

每分鐘旋轉60次，每次可以舉重16公斤。這位老兄很狡滑，故意不公開原理，徵求各路好漢來踢館，驗證他的自動輪是真是假。結果在1717年，一位來自波蘭的州長真的派人守著他的自動輪，過了40天後，發現自動輪的確沒有停止，所以頒發證書向世界證明，奧爾菲留斯的自動輪是貨真價實的永動機。從此以後，奧爾菲留斯光是展示自動輪，就賺進大筆財富，又獲得貴族們的科學贊助，得意又風光。直到有一天，他的妻子與女僕吵架，女僕一氣之下對外爆料——原來這部自動輪是靠躲在牆壁夾層中的女僕拉著纜繩運轉的，根本不是什麼永動機。

根本是作弊嘛！

永動機神話暫時隕落，卻在十九世紀又風生水起。那個時代的發展讓科學家們相信永動機還是有可能的，只是人們還沒找到適當的方法，或許只要再多一點努力就能突破盲點！

所以當時很多人一頭栽進永動機這門夢幻科學裡，不可自拔。包括一位富裕的英國啤酒商之子——詹姆斯．普雷斯科特．焦耳。當時還是少年的小焦耳，是典型永動機迷，除了參考前輩們的作品，也想設計出屬於自己的永動機。他經常絞盡腦汁，熬夜畫設計圖，並且在爸爸為他建立的私人實驗室裡，動手製作零件，組裝夢想中的永動機。可是他的永動機永遠中看不中用，明明設計理念很合理，結構組裝也不成問題，但是不知道為什麼，實際成品卻很掉漆，每次都是只動幾下，就不再動了。一陣子過後，心碎的小焦耳只好把永動機拋在腦後，跟著當時發現「原子論」而名滿天下的大科學家道耳頓（John Dalton，1766-1844）（參考《化學課》第12課），扎扎實實的學起真正的科學。誰料到十年、二十年過去，焦耳卻發現了「能量不可能無中生有」的「能量守恆定律」，親手把自己曾經心動不已的永動機，送進墳墓裡去。

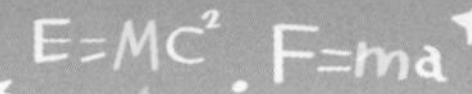

電生熱，運動也生熱

詹姆斯・普雷斯科特・焦耳
1818～1889
物理學家

告別年少時期對永動機的迷戀與迷惘之後，長成青年的焦耳，興趣轉移到當時最新穎的科學領域：伏打電池與馬達之上。

焦耳家裡的酒廠有蒸汽機，可是焦耳發現蒸汽機的效率實在不高，即使是當時最先進的柯尼式蒸汽機，燒掉十份的煤，也僅僅能完成一份工作。

「這太浪費了，說不定養一匹馬，還比蒸汽機有效率。」焦耳忍不住挖苦。

他心裡盤算著，說不定用「電動機」取代「蒸汽機」更好。所以他加倍用功的研究電學。沒過多久他就在實驗中發現，通電後的電線和零件會微微發燙。如果按照當時流行的「熱質說」，發熱零件裡的「熱質」應該是從電路的其他部分流來（沒錯，雖然半世紀前的倫福德伯爵就已經提出熱動說，熱質說還是流行到現在。請參考第14課），所以其他部分的溫度反而該降低才對。

「可是沒有啊，」焦耳仔細測試了各處的溫度後說：「電的所到之處，溫度都升高了，沒有什麼地方溫度降低。」

「唯一的可能是……是『電』產生了熱！而不是「熱質」！」

眼前的實驗結果，使他轉變為相信「熱動說」，拋棄熱質說。但是這跟「熱動說」有什麼關係？為什麼電流會產生熱呢？

原來焦耳是用道耳頓老師的「原子論」來思考這個問題，他認為是電流鑽過電線中的金屬原子時，電流使原子們互相摩擦碰撞，所以「摩擦生熱」，凡是有電通過的地方自然就會微微發熱了。

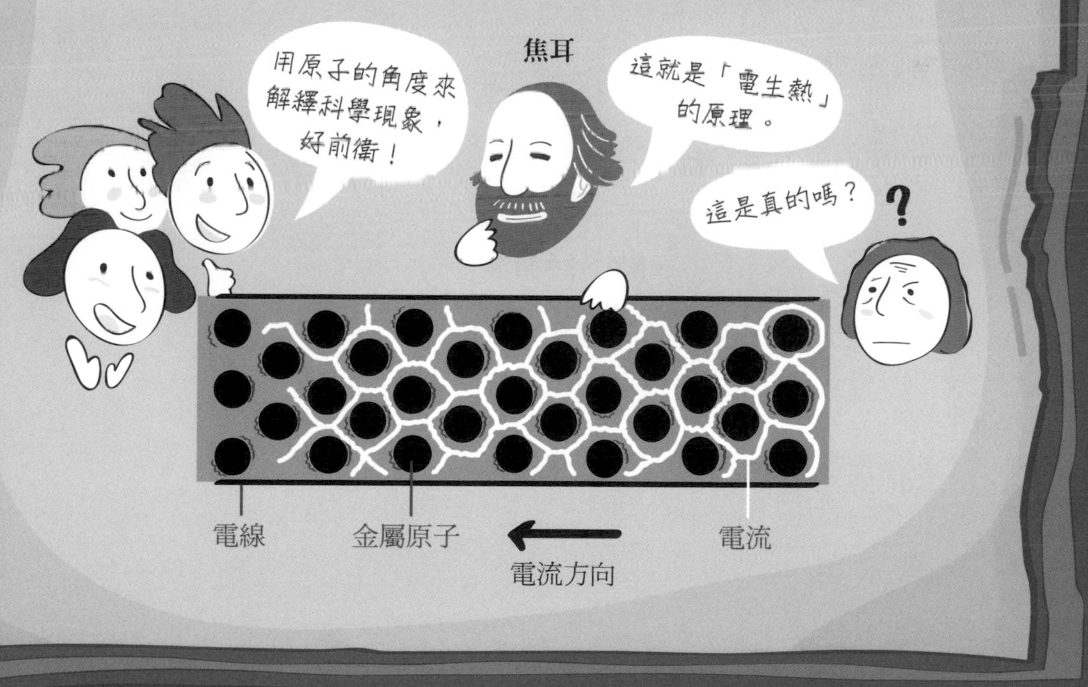

用原子的角度來解釋科學現象，好前衛！
焦耳
這就是「電生熱」的原理。
這是真的嗎？
電線
金屬原子
電流
電流方向

焦耳的理論影響了當時科學家對「電生熱」的看法。但是，如果要澈底說服大家，首先他必須先證明「熱動說」（運動產生熱）是對的，他的「電生熱」理論才有可能是對的。

凡走過必留下痕跡。他在迷戀永動機時，磨出來的機械設計功力，這時候剛好派上用場。

他設計了有扇葉的轉軸（請見下圖），然後將扇葉放進隔熱的水箱裡，並在轉軸上纏繞著線，線的末端綁著重物。當重物往下掉，就帶動扇葉在水中旋轉；等到重物降到最底下時，再讓重物升上去。如此耐心的反覆進行，他就可以測量水溫有沒有上升；也可以同時計算出，重物下落時所作的「功」。

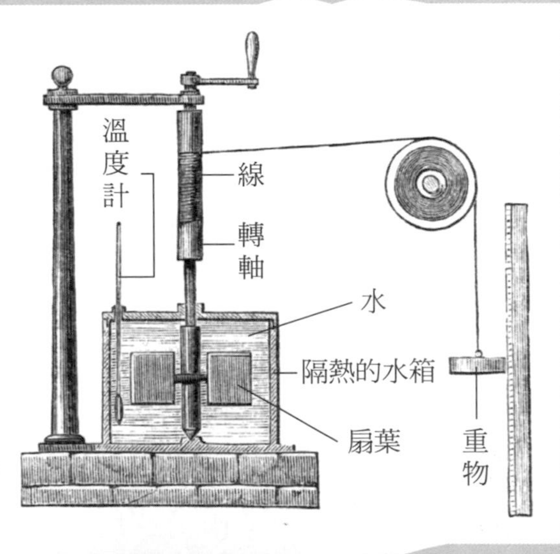

焦耳的熱功當量實驗裝置

只是，每次重物落下能使水溫上升的幅度實在太小！不但要花上很長的時間，操作起來也十分費力。有一回實驗，他讓重物自由落下了11公尺，每一次都得把線捲好、上升，再讓它掉下去，這樣重複做了144次，測到的水溫也只上升了一點點。

「功」是我發明的。功就
是力與物體位移的乘積！

賈斯帕-古斯塔夫·科里奧利

1792～1843

法國工程學家

「功」的概念，是科里奧利在1829年發表的教科書《機器功效的計算》裡首度提出，用來計算機械的工作效率。

聽說，實驗狂焦耳就連蜜月旅行也不放過。他想知道水從高處「運動」到低處，究竟能夠產生多少「熱」？所以帶著妻子旅行到法國南部的薩朗席瀑布時，也不忘冒著危險測量瀑布頂端與底部的水溫。結果，水溫可能只上升了一點點，現場測量根本很難區分出來。

焦耳測試好幾種方法，反覆測量運動生出來的熱。結果不但證實運動的確會產生熱，還得到一組精確的數字：

「平均來說，讓362公斤的重物往下掉30公分，就能讓0.11公斤的水溫度上升0.55℃。」

後人為了紀念焦耳，用「焦耳」的名字做為能量、熱或功的單位；因此以上的數字經過換算，再翻譯成現代的白話就是：

作4.18焦耳的功，可以得到1卡的熱量。

這個神奇數字被稱為「熱功當量」。人們能用它來計算運動的功可以轉換成多少熱量，也使得當時正在科學界萌芽的「能量守恆」觀念越發的清楚了起來，就像一幅即將完成的圖畫，找到最後幾塊拼圖一樣——

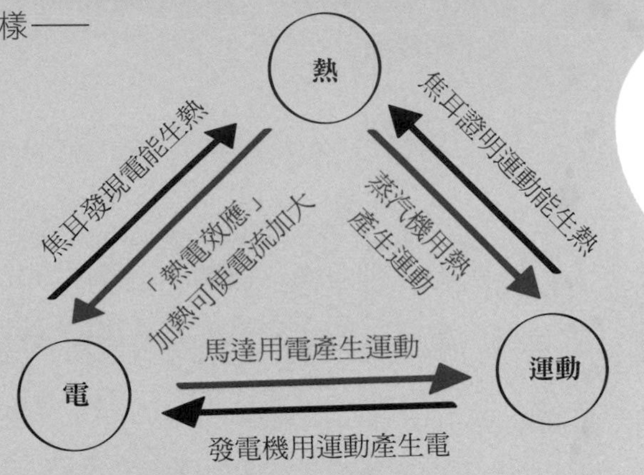

看來，能量之間只會互相轉換。不會憑空消失，也不會無中生有，能量是守恆的。

而既然焦耳的實驗，證實了「能量守恆」是大自然的基本規律。世界上怎麼可能會有「永動機」存在？能量不可能源源不絕的憑空而來，永動機違反自然的法則，想要設計出永不停止的永動機，自然是痴人說夢，難怪從古至今，都沒有人成功。

歷經波折才確立的能量守恆

德國哲學家恩格斯（Friedrich Engels，1820－1895）曾經把「能量守恆定律」，與演化論、細胞學說，並列為自然科學的三大發現，由此可見能量守恆定律的確立是有多麼重要。可是，在焦耳提出他的工作成就時，卻沒有得到大家的重視；可能是因為他被視為一名「業餘」科學家，他的熱功當量淪落到只能在報紙發表，而不是正式的科學期刊；當他希望在科學年會上，正式的報告他辛苦所得的理論與實驗成果時，主席也只允許幾分鐘的時間，催他草草說完實驗過程。

不過他還不是最慘的。當時除了焦耳之外，還有另外兩個人也幾乎同時發現了「能量守恆」。一位是德國的醫生尤利烏斯・馮・邁爾（Julius von Mayer），他是最先提出能量守恆的人，可惜沒人看重他的理論，使他在精神大受打擊之餘，跳樓自殺不成，還被送進了精神病院。

另一位是赫爾曼・馮・亥姆霍茲（Hermann von Helmholtz），他根據焦耳和其他科學家的實驗，把能量守恆的概念用數學的方式清楚表達，並且把能量守恆的觀念廣泛的應用到熱力學、天文學、生理學、電磁學等。這才使「能量守恆」的觀念慢慢的被世人接受。

能量守恆定律給世界的重要啟示是：不同領域的自然科學間，全都有著連貫性與一致性。它像一個偉大的證據，證明在自然間的各種能量全部都可以互相轉化，而不是分別開來、不同的東西。時間果然向人類證明了這一切，然而當年迷戀永動機的那一位酒廠少年，卻親手把熱切渴盼的永動機送進歷史的灰燼中，這也是始料未及的呀！

快問快答

1 **市面上有一種叫做「牛頓擺」科學玩具，好像永遠不會停？它算不算永動機？**

這個玩具很吸引人，在1960年代才被發明出來，據說跟牛頓本人無關。最常見的牛頓擺（Newton's cradle）是五個同質量的球，緊密的吊掛在一起。只要拉起一側的球再放手，另一側的球就會接續彈起，然後左右輪流彈個不停。

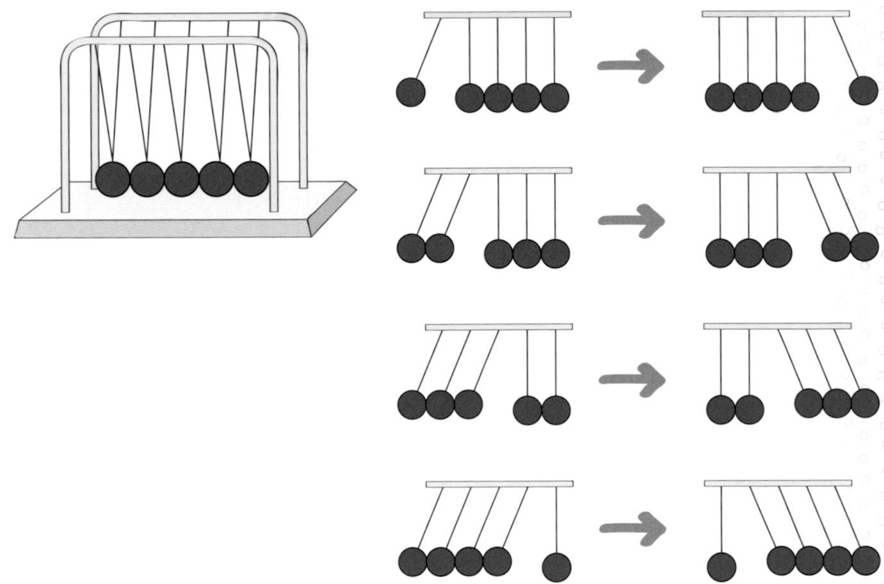

牛頓擺依據的是「動量守恆」原理（本書沒有提到，但高中物理會教喔），「理論上」是永遠不會停的。但實際上，球體在擺動過程中會有空氣阻力；球與球碰撞時也會摩擦生熱，所以能量還是會慢慢消耗掉、球的擺幅漸小，最終仍會停止。它是不是永動機，你說呢？

2 **我們能不能做出另一種永動機，利用海洋、空氣或宇宙中源源不絕的能量，永遠的運轉下去？**

你的頭腦動得真快！很多人也早就想過這問題，過去那些想憑空製造能量的「第一類永動機」被證實不可能後，人們就把腦筋動到「第二類永動機」，想利用無窮盡的自然能量永遠轉動。

遺憾的是到目前為止，沒有任何第二類永動機成功過。即使它們能從大自然吸收能量，但任何機器一定會產生摩擦、損耗或其他反應，如果沒有給予機器其他動力，讓裝置可以修復或重新啟動能量利用的循環，一樣無法持續運轉下去。

但人類到底可不可能發明永動機還很難說；一直到現在，仍然有人在嘗試發明永動機，這代表了人類對大自然的無窮探索與永不放棄。

3 **愛因斯坦有一個很有名的公式：$E=mc^2$，表示質量可以轉變成無比巨大的能量。這也符合能量守恆定律嗎？**

人類對自然的探索，是由淺入深的過程。十八世紀拉瓦節發現「質量守恆」：化學反應的前後，反應物與生成物的質量不變。但當時人們還不太了解能量的概念。直到一百年後人類開始認識熱、電與動能的本質，於是曉得能量不會消滅，只會轉換成不同型式。到了二十世紀，人們開始探索原子內的微觀世界，這才瞭解在某些極端條件下，質能原來可以互換！「質量守恆」和「能量守恆」都是自然世界的基本定律，而如果把微觀的粒子世界也考慮進去，一個獨立系統中的總質量和總能量也會守恆。質能互換並沒有推翻質量守恆或能量守恆，而是這兩個定律的加深加廣。

如果我先計算自己吃下多少熱量的食物，再看我能跑多遠，是不是就可算出每一卡的熱量能作多少的功？

答：願意拿自己做實驗，精神可嘉！但可惜這個實驗會有許多漏洞——人體不是機器，不管呼吸、思考，甚至停著不動，都得消耗能量。所以你吃進去的熱量，有部分會用來維持身體的基本功能，這樣算出來的熱功當量並不準確，不過當成你的體能訓練倒是不錯！

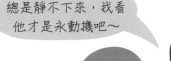

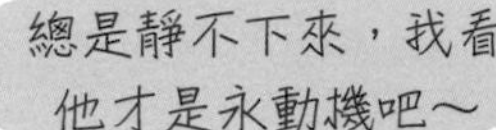

LIS影音頻道

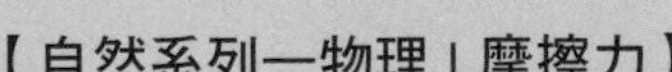

(永動機與摩擦力)阿蒙頓房間裡的祕密 （上）（下）

永遠持續運動的永動機，這麼傳奇的裝置是否真的存在？牛頓提出物體受力就會改變運動狀態，但阿蒙頓的實驗卻怎麼也無法證實這個說法，該怎麼解釋這個現象呢？

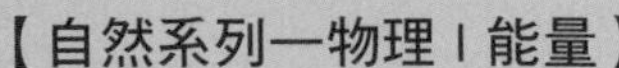

（熱功當量）佛系科學家焦耳（上）（下）

19世紀，焦耳受到道耳頓的啟發，開始試著用原子的概念解釋現象。他也是第一位研究熱能、機械能與電能間相互關係的科學家。然而，焦耳一開始是如何開始研究熱量的呢？

第19課

解開光速之謎

菲左 & 傅科

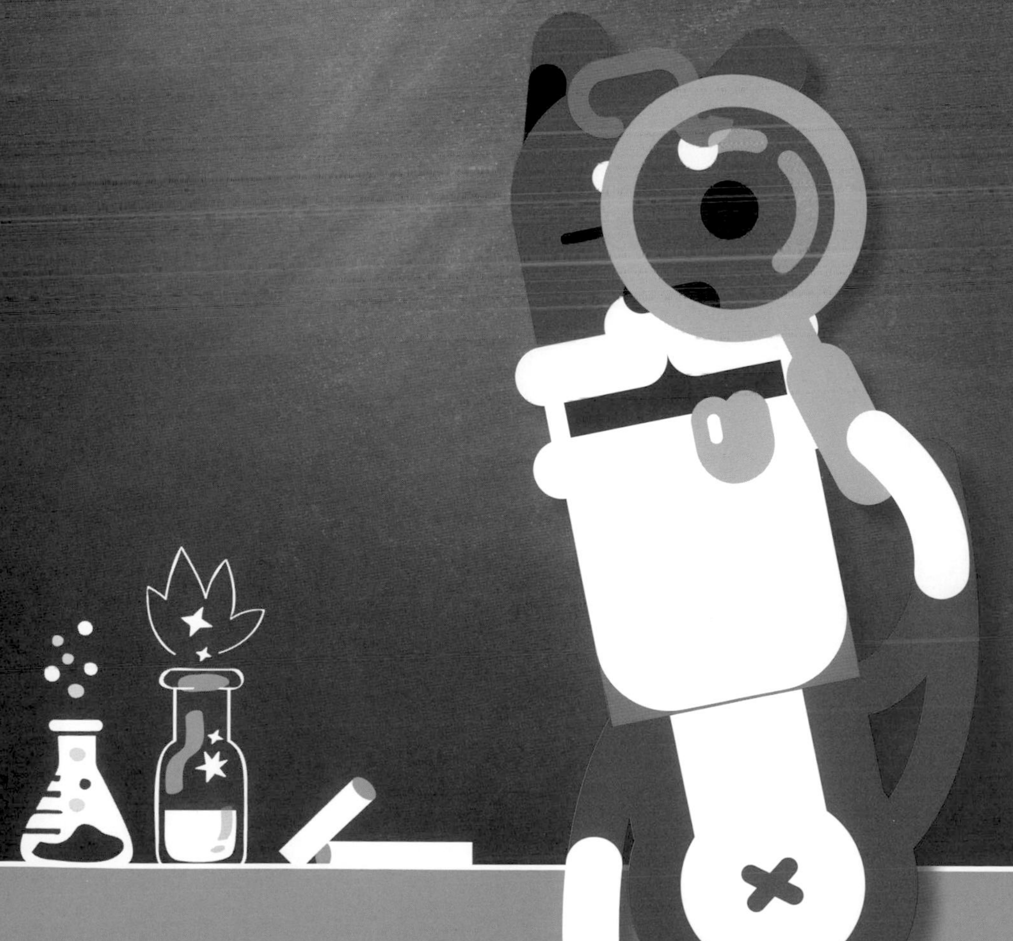

光速＝
299792458 m/s

背不起來！
但我記得魯芙的手機
0927××58……

不要洩漏我的個資！

光學是一門古老的科學。早在古希臘時代，自然哲學家們就探討起光的本質；光為直線前進和反射定律最晚在西元前四到三世紀就已經確立；折射定律、光的色散也在十七世紀被人們破解。不過，光仍然有著難以揭開的神祕面，例如：光的速度到底有多快？一直拖延到十九世紀，還是沒有人可以精確的計算出來。正因為光速實在太快，總是不到一眨眼就灑滿人間，以致如何測量光速讓人傷透腦筋。

無法釐清光速的「快」，就是無限快？

然而不管再怎麼困難，人類最終還是要面對光速問題；因為光的正確速度是一組關鍵數字，如果一直沒有辦法突破，接下來的問題：像是光是波還是粒子、電磁波如何傳播、天體間的距離、以及許多天體運行的誤差，都會卡在這裡，難以發展。所以不少科學家為了光速想破頭，也是非常自然的事。十七世紀初期的科學家克卜勒和笛卡兒就曾經認為——

約翰尼斯・克卜勒
1571～1630
德國天文學家

勒內・笛卡兒
1596～1650
法國哲學家、物理學家

奇怪，笛卡兒
不是說光在水中
比空氣中快嗎？
（請見第7課）
???

因此有好幾百年的時間，人們相信光從Ａ點前進到Ｂ點，不管距離多遠，光「不需要任何時間」就能到達——因為光的速度無限大。你覺得這可能嗎？不管你信不信，至少喜歡質疑、生性叛逆的大科學家伽利略是不相信的。他打從心裡不認為，有任何東西可以在「零秒」內到達任何地方，包括光線在內。

0.25秒
1.6公里
伽利略

所以，他請一個朋友，提燈籠爬上一座山頂，他自己也提燈籠爬上對面1.6公里外的另一座山頂。兩人講好，當伽利略打開燈籠蓋子的時候，他的朋友只要看到對面山頭有光，就立刻也打開燈籠的蓋子。

我也有很多失敗
實驗的經驗喏！

結果，伽利略聲稱自己看到光在0.25秒後傳回來，但是這個數字可信嗎？現代科學家曾做過一個簡單的測驗，測量一般人看到燈泡亮起，就立刻伸手去按按鈕的「反應時間」，結果平均就需要0.2到0.3秒。所以伽利略也知道，這0.25秒恐怕只是他朋友的反應時間，真正的光速太快，用這種方法根本測不出來。這個實驗成為歷史上最有名的「失敗」實驗之一。

是實驗課
不認真吧！

利用天體算出光速

奧勒．羅默
1644～1710
丹麥天文學家

接下來還有一位挑戰者，是丹麥的天文學家奧勒．羅默（Ole Rømer）。西元1676年，他在巴黎天文臺研究木星的衛星伊奧（Io）時，發現到伊奧的觀測數據裡有些奇怪現象。伊奧不到兩天就可以繞行木星一圈，但是伊奧被木星遮住，以致於我們在地球上看不見它的時間間隔卻是不規則的，老是需要校正一下。而且這些需要校正的時間點，似乎剛好又跟地球與木星間的距離有關。

羅默拿出他的數學長才仔細計算，最後終於發現——

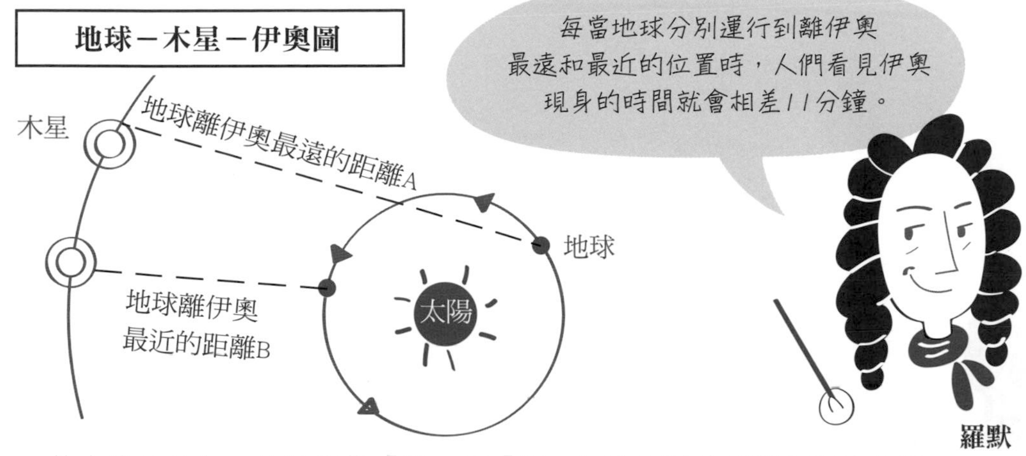

他大膽的認為，這是光從「遠」和「近」距離傳到地球所需要的時間不同，所以只要把距離Ａ減距離Ｂ，除以所需的11分鐘，就可以得出光的速度，也就是每秒21.4萬公里！這個數字比現今所測量到的最準確數字29.9792萬公里／秒（國中課本上寫每秒30萬公里是四捨五入的說法），誤差超過25%，但是你回頭想想，在那個連地球到太陽的距離都還沒有精確數字的1676年，這個結果已經相當難能可貴，至少是人類第一次證明，「光速不是無限大」的證據！

甚至，羅默在那一年9月就做出預測，伊奧衛星在11月9日應當現身的時間將延遲10分鐘。大家都守在天文臺的望遠鏡邊，等著羅默出糗，結果伊奧現身的時間，不快不慢就是羅默說的10分鐘以後！

只可惜，明明事實擺在眼前，天文臺的館長還是不相信羅默的說法（因為伊奧用來對照的時間表是館長制定的）。所以羅默一直沒有對外正式發表，直到他到英國拜訪牛頓和天文學家哈雷時，才終於得到兩人的讚賞。

接下來其他天文學家，也利用天上的恆星軌跡計算出光的速度。可是真正在地面上設計實驗「腳踏實地」測量光速的實驗，要到將近兩百年後的十九世紀中葉，才在法國首度出現。測量光速實驗的特色就是時間超短，距離卻很長，以下請看這兩位同樣是處女座，生日又只差五天的物理學家的故事。

友誼決裂之光競賽

阿曼德・菲左
1819～1896
法國物理學家

尚・伯納・里昂・傅科
1819～1868
法國物理學家

菲左和傅科，原本是一對好朋友。大學就讀醫學院的菲左，也不知道是不是因為解剖人體使他緊張的關係，一直有偏頭痛的毛病；最後不得已只好離開醫學院，改學物理。而傅科呢？原本也在醫學院，但他很快就發現自己一見血就頭暈，根本不是學醫的料，所以也只能放棄醫學，進入物理的領域。

這兩個生日只差五天的難兄難弟，就這麼湊在一起，一起參加了發明攝影技術的藝術家達蓋爾（Louis-Jacques Daguerre）的攝影課。剛開始，他們志同道合，感情好到一起研究如何改良攝影技術。即使後

來沒有成功，他們的革命情感仍一直持續。在1843到1847年之間，兩人合作使用攝影圖片研究太陽的光譜，做出很不錯的成績。

1838年，法國巴黎的《坦普爾大街街景》是世界上第一張拍到人的照片。因為曝光時間長達十多分鐘，街上許多車輛都捕捉不到，只有一位擦鞋的人站得夠久，才被成功拍到。

1845年時，法國的物理學家老前輩阿拉戈（François Jean Dominique Arago）設計出旋轉鏡法（如下圖）打算測量光速。但因為阿拉戈眼睛不好、事情又忙，便希望菲左和傅科兩個小夥子可以合作完成這項實驗。

在路徑1上放水管，路徑2則通過空氣；這樣就能比較光在空氣和水中的速度！

弗朗索瓦·讓·多米尼克·阿拉戈

1786～1853

法國第25任總理、物理與天文學家

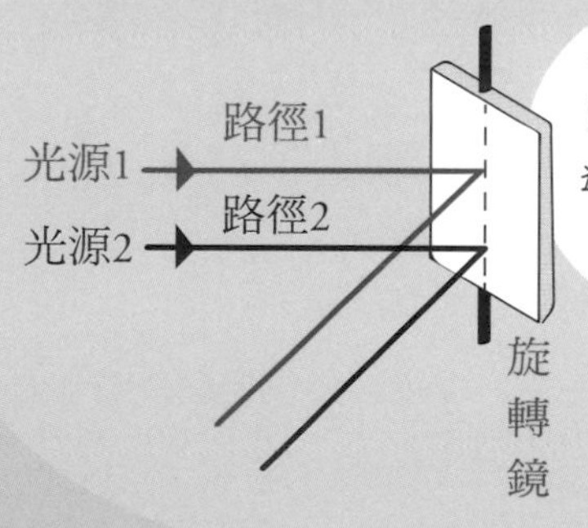

剛開始兩人都樂意，而且雄心勃勃的一起討論、改良這套裝置。但是後來不知道為什麼，兩人突然起了摩擦，甚至從此分道揚鑣，各做各的，從合作夥伴突然變成競爭對手。

他們雙方都急著發展出自己的方法來測量光速。1849年，菲左首先拔得頭籌，成為世界上第一個在地面上做實驗測定光線速度的人。

他在巴黎自己爸媽的房子裡，把阿拉戈的「旋轉鏡」抽換成「旋轉齒輪」——

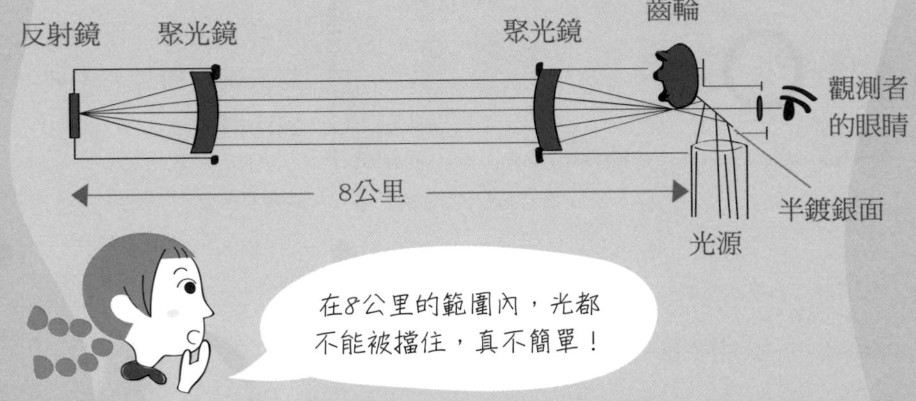

他讓一束強光經過半鍍銀的斜面反射出去，剛好通過齒輪的一個凹口之後，再由距8公里外的反射鏡反射回來。他慢慢的增加齒輪的旋轉速度，直到光線傳回來時不被齒輪擋住，而可以通過下一個凹口，進入觀測者的眼睛，使觀測者看到亮光。

如此一來，菲左就能根據光經過的距離（往返8公里，總共16公里）和時間（以齒輪旋轉的速度計算），計算出光線的速度。

最後他得到的光速是每秒31.53萬公里，比現今最準確的光速值快了5.17%左右。

菲左這麼快就做出成績，傅科當然不甘示弱，決定另開戰線，搶先一步測量光在水和空氣中速度的差別。當時，這個問題在科學界吵得正兇，非常需要一個判準實驗為大家解惑。於是第二年，也就是1850年，傅科就趕緊請人改良旋轉鏡設備，將一束光分成兩束，其中一束穿過水，另一束則是穿過空氣（如下圖）。

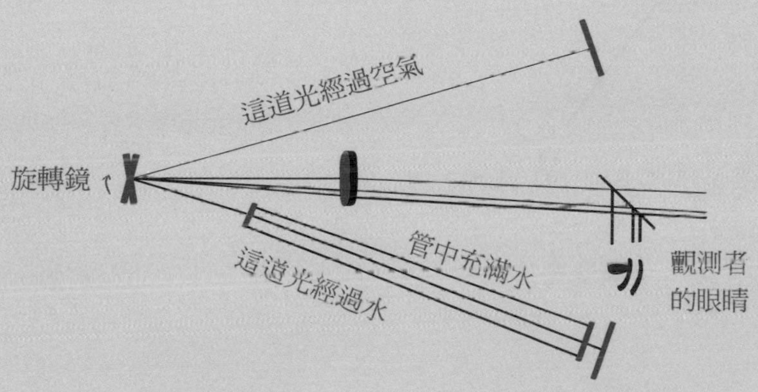

傅科比較兩束光線反射回來的角度差，推算之後發現，光從水中通過時，會比從空氣通過速度慢上25%！這完全違背牛頓大師的預測，牛頓認為水比空氣來得稠密，應該會拉著光粒子加速前進。可是沒想到，菲左也用了同樣的旋轉鏡方法，證明光在水中比空氣中慢，等於再一次確認了傅科的實驗結果為真，只是時間比傅科晚了七週。

「好驚險。差一點又輸給菲左。」傅科心想。「我要再加油一點才行。」

1862年，傅科的旋轉鏡再度上場。這次他的目標不是比較光在水和空氣中的速度，而是專門為了測量光速。如下圖，他把單程距離拉長到32公里，並在光源從鏡子反射回到旋轉鏡時，使旋轉鏡旋轉一個小角度，把光線反射到觀察者的眼睛。

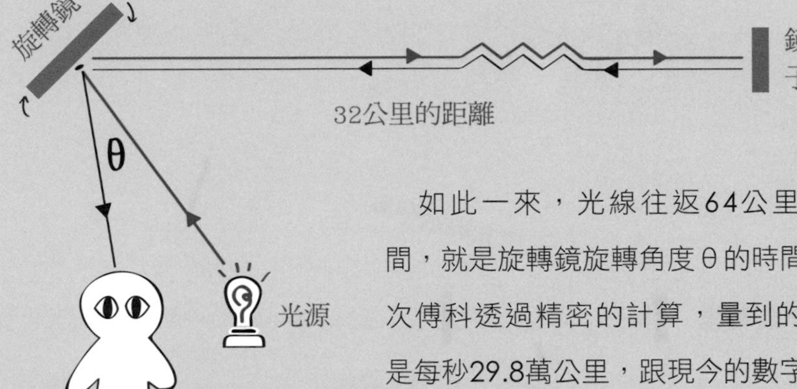

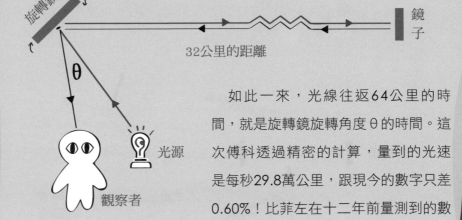

如此一來，光線往返64公里的時間，就是旋轉鏡旋轉角度θ的時間。這次傅科透過精密的計算，量到的光速是每秒29.8萬公里，跟現今的數字只差0.60%！比菲左在十二年前量測到的數值整整精準了八倍多！

這對從好友變對手的科學家，該說誰高誰低、誰輸誰贏呢？事實上他們兩人在後世的光學發展歷史上，幾乎是平起平坐。他們總是成雙成對的被提起，兩人的名字總是同時並列；就連他們各自研發的齒輪式光速測量儀和旋轉鏡式光速測量儀，也被後人乾脆合併在一起，統稱為「菲左－傅科儀」（Fizeau–Foucault apparatus）。唉，這種「郎無意，妹無情」下，卻還是被送做堆的結果，恐怕是當時翻臉、一心想分開闖天下的兩個人，怎麼想都想不到的吧！

光速實驗為光的波動說注入強心針

故事說到這兒。光學的世界還有一場戰火沒平息：究竟光是波動，還是粒子？「波動說」與「粒子說」相爭不下，烽火已經延燒了數個世紀。偏偏牛頓大師站在粒子說的一方，認為光是粒子，所以光在水中應該比在空氣中快。這使得波動說被打趴在地上，幾乎有一百年的時間，無人敢挑戰牛頓大師的權威。

直到進入18世紀初，又開始出現波動說的支持聲。再加上菲左與傅科用實驗證明光在水中的走得比空氣慢，不但打腫牛頓大師的臉，也成為不少人眼中「打敗粒子說的致命一擊」。

但是誰說科學一定就是你勝我敗的戰場？光的粒子說一時挫敗，就代表波動說大獲全勝？事情沒有我們想像的這麼簡單，而物理的深不可測更遠遠超過人類原本的想像。光的真相還要再過一百年，才會水落石出。下一課就帶你來看看，吵了半天，光究竟是粒子還是波動！

快問快答

1 愛因斯坦發現：「光速是世界上最快的東西。」這是真的嗎？有沒有比光速更快的東西呢？

光速——每秒299792458公尺——是光在真空中前進的速度。根據愛因斯坦的相對論，速度比光速低的物體如果要加速到光速，它的質量會增加到無限大，所以需要吸收無限大的能量，這是不可能的；所以任何物質的速度都不可能超越光速。

科學家們一直都想打破光速的限制，不過到目前為止，這些努力都失敗了。有人認為「量子糾纏」和「宇宙膨脹的速度」可能超越光速，但是量子糾纏是相距遙遠的量子之間有超光速的「溝通」，而不是實際量子的移動；宇宙膨脹的速度也還有爭議，不符合光速計算的定義。所以到目前為止，還沒有發現宇宙中有物體的運動速度超越真空中的光速。

2 我們能不能讓光慢下來，甚至停下來呢？

光速減慢並不是一件稀有的事情，光是從空氣射入水中，光速就會變慢大約25%（雖然還是很快就是了）。而在我們生活的大氣層中，光速也已經比在真空的太空中稍微減慢。聰明的科學家們掌握「光速會受介質影響」的這點，利用非常特殊的原子當作介質，可以讓通過的光線明顯的慢下來，甚至於透過裝置輔助，讓光完全停止下來。這種被調慢的光線，被稱為「慢光」。到目前為止，科學家已經知道如何使光速降到每秒40公尺，也已經找到如何使光暫停下來再繼續前進的方法。

3 我們常聽到的「光年」跟光速有關嗎？

當然有關囉！光年就是光線用真空中的光速往前跑一年，所經過的距離。因為光年有個「年」字，有人就誤以為光年是時間的單位；但實際上，光年是「距離」的單位，相當於9.46兆公里！這麼長的距離，當然是用在天文學上，計算遙遠天體間的距離。像是從地球到月球的距離，光只需要跑1.255秒；從地球到太陽的話，光要跑8分鐘；而地球到天狼星呢？則是 8.7光年那麼遠！

4 為什麼跟光有關的實驗常常要擺聚光鏡、凸透鏡、反射鏡呢？不能直接用光源測試，非得要讓光線經過這些什麼什麼鏡嗎？

沒辦法，因為早期的科學家做光學實驗的時候，還沒有出現雷射光。他們所用的傳統光源，像是日光、蠟燭、油燈、燈泡等，產生的光線通常是發散的；如果要光線乖乖的朝著實驗者要去的方向，常常就得用聚光鏡來集中光線，用透鏡匯聚光線或使光線平行射出，或是利用反射鏡改變光束前進的方向。

實驗影片

早期科學家利用不同光學鏡進行光的實驗，測量出光的性質。那麼現代的我們可不可以拿凸透鏡做些簡單又有趣的利用呢？請看這支影片，你也可以輕鬆利用凸透鏡，把智慧型手機變成顯微鏡喔！

第 20 課

波與粒子的最終戰

愛因斯坦 & 德布羅意

今天是波與粒子的最終戰，猜猜看，誰會贏？

是波！

是粒子！

什麼是以太?

波與粒子的大戰，已經開打幾百年了。早在十七世紀，愛思考勝過做實驗的笛卡兒，就認為「光是一種波動」，而且光的本質是一種「壓力」，藉由充滿宇宙間、具彈性的「以太」，以無限大的速度傳播。

以太是由亞里斯多德
提出、充滿宇宙空間
的元素。1887年
科學家才證明以太
並不存在。

虎克也認為光是一種波動。他用石頭掉進水裡所形成的漣漪來比喻光，認為光波也像水波一樣，形成球面向外擴散。

粒子說和波動說的早期糾葛

不過，跟虎克長年不合的牛頓並不這麼認為。當他發現光通過三稜鏡，會色散成七種色光時，便推論光是由不同顏色的「微粒」混合而成；這些微粒從光源飛出，在空間中像小球一樣做等速度直線運動。

光是波！
牛頓
虎克
才怪！
光是粒子！

但是才過幾年，惠更斯就用一系列的光波實驗，反對牛頓的微粒說，他直接描繪出光波的樣子，還用波動的理論來解釋光的折射與反射。

光與光交會時，不會像球一樣彈開，怎麼會是粒子呢？
惠更斯

光
光

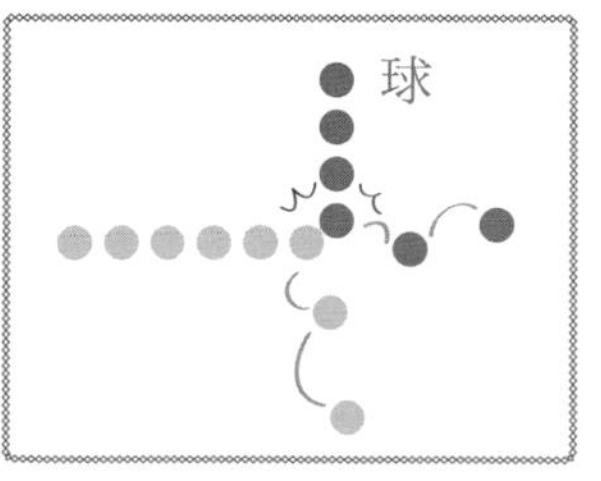
球

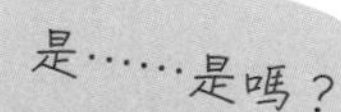
是……是嗎？

CH
20

牛頓還是科學界「菜鳥」的時候，「老鳥」惠更斯和虎克的波動說曾經一度占上風，壓制住牛頓的微粒說。但是惠更斯的波動理論不夠成熟，無法解釋光的干涉、繞射等現象，再加上後來，牛頓茁壯成為神級人物，漸漸被後人拱上科學的神桌後，沒有人敢挑戰牛頓的權威，換成粒子說占據統治地位；而波動說則隨著惠更斯與虎克的相繼過世，漸被淡忘。

直到一百年後，英國出現一位博學的醫生——湯瑪斯．楊格（Thomas Young），沉睡許久的波動說，才慢慢甦醒過來。

召喚波動說的雙狹縫干涉實驗

湯瑪士．楊格
1773～1829
英國醫生、物理學家

楊格是好奇寶寶，對身邊任何事物都有強烈的求知慾。他在學習眼睛的構造和顏色視覺時，順便研究了光的粒子說與波動說，並得出自己的想法：楊格讓光線同時通過紙上的兩道狹縫，證實光的確具有波動性。假如光只是粒子，當光通過兩個狹縫時，紙後方的屏幕上應該只會呈現兩條亮光；可是實驗的結果發現，屏幕上竟然出現整排明暗相間的條紋，這是波動經過狹縫時才會有的現象！

如果光是粒子

如果光是波動

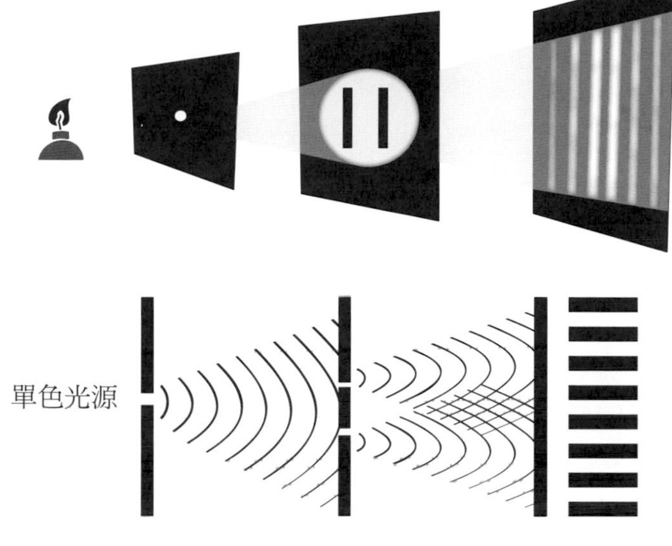

楊格的「雙狹縫實驗」
證明光具有波動性。
通過兩道狹縫的光波
疊加在一起，形成明暗
相間的條紋，稱為
「干涉」現象。

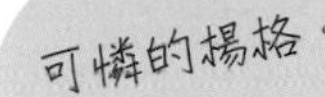

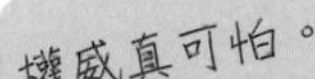

於是楊格大膽的說：「我當然很仰慕牛頓大師，但這不代表他永遠是對的。我很遺憾的發現他確實出錯了，而他的權威也許有時候甚至阻礙科學的進步。」不幸的是，大多數人認為牛頓怎麼可能是錯的，群起攻擊楊格的實驗，以致於接下來的二十年間，沒人理睬他的實驗；就連楊格為了反駁攻擊者所寫的論文，也沒有出版商願意接受。楊格只好自掏腰包印成小冊子，結果很悽慘，據說只賣出一本。

但是楊格的努力沒有白費。隱隱約約的，波動說的聲量在少數科學家之間漸漸擴大。尤其在菲左與傅科提出光速實驗之後（證明了光在水中比空氣中慢，反駁了牛頓的粒子說。請見上一課），波動說與粒子說的戰火更是越打越烈，科學家們簡直分成兩派人馬在「打群架」。當時雙方都很堅持，一邊認為光是「純」粒子，另一邊認為光是「純」波動。

不知道你有沒有注意到？贊成光是純粒子的一派，幾乎無法否定對方的實驗有錯；同樣的，贊成光是純波動的一派，也只能證明光有波動性質，無法挑出光是粒子的實驗有什麼大毛病——這種現象真是耐人尋味，答案到底是什麼？這場數百年的理論之戰，還要持續多久？

光就是想要一下這樣，一下那樣

1905年，世人稱為「奇蹟年」（Annus mirabilis）。因為在這神奇的一年之中，大名鼎鼎的科學家愛因斯坦（Albert Einstein）雖然只是瑞士專利局的一個小職員，卻陸續提出四篇的重要論文：「光電效應」、「布朗運動」、「狹義相對論」以及「質能互換」，翻轉了人類對世界的看法。

「光電效應」是在1887年，由德國物理學家赫茲（Heinrich Hertz，1857-1894）所發現：當紫外線照射在金屬上，金屬會放電。

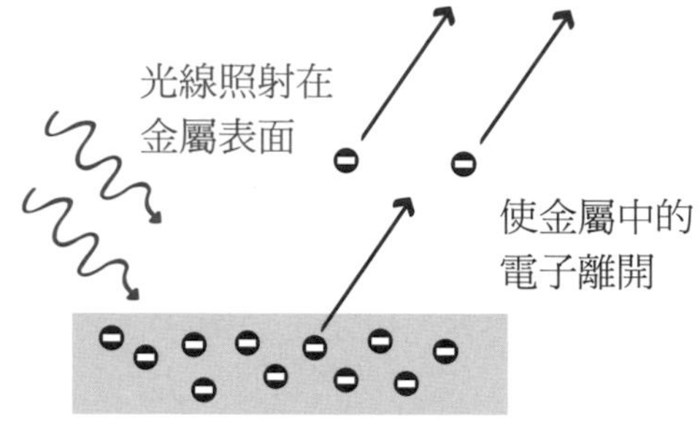

其中第一篇，是愛因斯坦用「光子」的概念，成功的解釋了「光電效應」。愛因斯坦認為光的能量不是均勻分布，而是「一包」、「一包」的，他把這個「能量包」稱為「光量子」，也就是我們現在所稱的「光子」。當能量夠強的光子打在金屬上，就會使得金屬表面的電子吸收能量而活潑的「飛」出去。

量子來自拉丁文
quantum，字意是
「有多少」，代表
「特定數量的
某物質」。

馬克斯·卡爾·恩斯特·路德維希·普朗克

1858～1947

德國物理學家

「量子」的概念是在 1900 年由普朗克提出。如果某些物理量的數值是特定數值的整數倍，而不是任意值，那就表示這種物理量是可以「量子化」的。例如光的能量是光子的整數倍，換句話說，光子是光這種能量的量子。

乍聽之下，愛因斯坦的「光子」概念，可能會讓你以為他也擁護純粒子說，認為光是由一顆顆的粒子構成。但你有沒有注意到，愛因斯坦說光子是「能、量、包」。傳統物質由粒子構成，與能量有關的其實是波動——聰明過人的愛因斯坦認為「**光帶有粒子性，也有波動性**」！他保持開放的態度，理性看待雙方的實驗，波動實驗是對的，粒子實驗也沒錯，光很可能具有「**波粒二象性**」（wave-particle duality）！！！只是這兩種特性很調皮，它們**不會同時**出現，有時候顯現「粒子」特性，有時候顯現「波動」特性，所以才讓人類暈頭轉向，白白吵了好幾百年。

阿爾伯特・愛因斯坦
1879～1955
猶太裔物理學家

別爭啦！兩種說法都有道理，我們就想成光是波也是粒子就好啦。

這個答案看起來讓雙方人馬皆大歡喜，有些人卻仍覺得：怎麼可能會有一種東西是粒子又是波，如果從日常現象去觀察，就會發現根本不……

喂，等等！誰告訴你日常生活中就能觀察到波粒二象性的？這種奇異的現象在我們習以為常的巨觀世界看不見，只有在微觀的次原子世界才會顯現喔。不信的話，請看看以下德布羅意（Louis Victor de Broglie）與「物質波」的故事吧。他把愛因斯坦提出的「光」的波粒二象性，擴展到「所有物質」身上，雖然聽起來很玄，研究過程卻是經過實驗證明、有憑有據。

看不見的物質波

路易・維克多・德布羅意
1892～1987
法國物理學家

在物理學的歷史上，有兩個「德布羅意」。一個是哥哥摩里斯・德布羅意（Maurice de Broglie），一個是弟弟路易・維克多・德布羅意；哥哥比弟弟大十七歲，他們來自法國有名的政治、外交世家。但是弟弟十七歲的時候，父親過世，於是哥哥摩里斯繼任為家族第六代公爵，並擔負起教育弟弟路易的重責大任。

這個歷史悠久的名門貴族兩百年來人才輩出，兩兄弟也不例外。天資聰穎的路易讀起書來過目不忘，但早期因為興趣太廣泛，不知道該朝哪個目標前進；他先拿到歷史的大學學位，後來發現物理才是真愛，繞一大圈才回頭研讀物理。

德布羅意最感興趣的，是當時最時髦卻也最難、最少人懂的「量子物理」。

這裡說的德布
羅意，我怎麼
知道是哥哥還
弟弟呀？

普朗克在1900年研究黑體輻射時提出「量子」這個新名詞。在物理學裡，量子的概念通常是出現在微觀的世界裡，是一個不可分割的基本量；例如光的能量是光子的整數倍，光子就是代表一大束光裡的基本單位。而量子在微觀世界裡呈現的特質，和日常生活中的物質行為完全不同，所以普朗克提出的量子概念就算過了十年，大家還是一頭霧水。

弟弟路易的物理
成就比哥哥高，
通常物理史上說
的德布羅意是指
弟弟喔！

德布羅意決定以量子物理攻讀博士學位，但是有可能內容太玄、太難、太前衛，幾乎沒人能指導他。還好，當時哥哥已經是個物理學家，正在研究X射線與光電效應，德布羅意常常到哥哥的實驗室裡幫忙，順便找哥哥一起討論。事實上，德布羅意對量子物理感興趣，也是受兄長影響；因為哥哥在1911年的一次研討會議上擔任祕書時，帶回一大疊量子理論文件，德布羅意翻閱完就決定讓自己一頭栽進這門學問的無底洞，這博士學位一讀就讀了十二年！直到1924年，德布羅意才交出一篇150頁的博士論文《量子理論研究》給他的指導教授朗之萬(Paul Langevin，1872-1946)。

但是朗之萬看了這篇耗時十二年才誕生的博士論文卻直搖頭。這本論文裡提出的全新觀念，在朗之萬和當時不少科學家眼裡，好像看似有理，卻又離經叛道；朗之萬不知道該不該為德布羅意背書，如果同意讓他拿到學位，就代表朗之萬自己也同意德布羅意在論文中所寫的謬論。

保羅・朗之萬

1872～1946

法國物理學家

世界上也有博士生
比指導教授厲害的嗎?

當然有。這叫做
「青出於藍，勝於藍」！

於是，朗之萬只好印一份論文寄給愛因斯坦，希望聽聽愛因斯坦的意見。原本，愛因斯坦正因研究忙得不可開交，但抽空一看這份論文立刻就驚為天人，大大讚賞。

究竟是什麼內容，能讓天才型的科學家愛因斯坦豎起大拇指，如此的讚美？原來德布羅意認為：愛因斯坦的「光量子」理論應該推廣到一切的物質粒子上，換句話說，世界上所有物質都具有「波粒二象性」，只是因為一般日常中的物質質量都太大，以致於它們波動時的波長太小，小到我們觀察不到！所以我們無法在平常的巨觀世界裡，發現物質的「波粒二象性」，只有在像光子、電子質量這麼輕、這麼微小的微觀世界，才有可能觀察到它們的波動。

舉個例子：當棒球投手以每秒40公尺的速度丟出棒球時，以德布羅意的算式計算這顆球「波動」的「波長」是1.1×10^{-34}公尺！這個波長的長度比原子核幾乎小一千萬兆倍！即使以我們現在擁有的科學技術，不管用什麼方法都偵測不到！

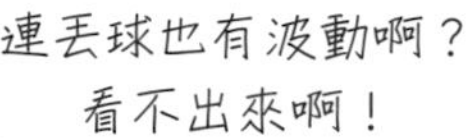

連丟球也有波動啊？
看不出來啊！

人們將德布羅意的這個嶄新概念稱為「物質波」（matter wave）。愛因斯坦非常開心，沒想到德布羅意把他的理論發揚光大，擴展到所有物質的粒子！如此豐富、廣闊的概念，讓愛因斯坦回信給朗之萬時忍不住說：「德布羅意已經掀開（量子物理）神祕面紗的一角！」

厲害！

謝謝、謝謝！
愛因斯坦
德布羅意

也許是英雄惜英雄，愛因斯坦把德布羅意的論文送到柏林科學院，並且在自己有關量子統計的論文裡介紹德布羅意的研究內容；因此德布羅意不但順利拿到博士學位，還在物理學界聲名大噪，大家很快就注意到這位年輕人，以及他那創意獨具的「物質波」奇特理論。

1929年，也就是德布羅意提出博士論文後的第五年，他就得到諾貝爾物理學獎的殊榮。這件事若是放在現今的臺灣，德布羅意可能早就被退學（在臺灣的大學，博士修業年限是十年），也就無法成為史上以博士論文直接拿到諾貝爾獎的第一人了！

那就不能怪我
看不懂囉！

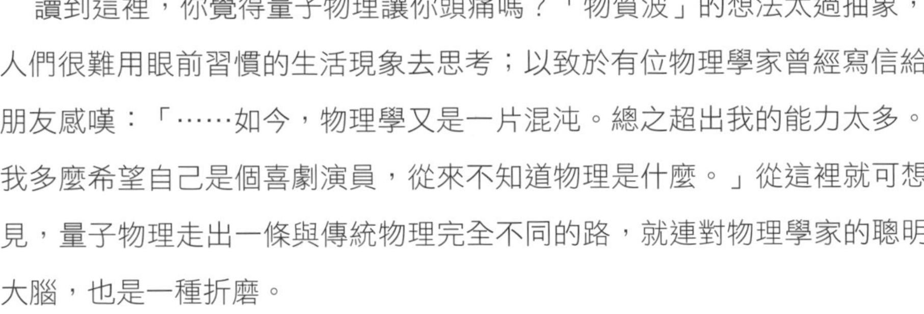

讀到這裡，你覺得量子物理讓你頭痛嗎？「物質波」的想法太過抽象，人們很難用眼前習慣的生活現象去思考；以致於有位物理學家曾經寫信給朋友感嘆：「……如今，物理學又是一片混沌。總之超出我的能力太多。我多麼希望自己是個喜劇演員，從來不知道物理是什麼。」從這裡就可想見，量子物理走出一條與傳統物理完全不同的路，就連對物理學家的聰明大腦，也是一種折磨。

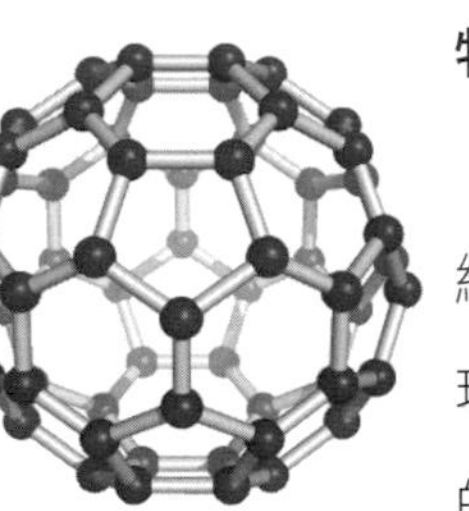

物質波理論遍地開花

不過儘管如此，還是有一群物理學家持續努力，陸續找到電子、中子、質子、氫粒子、氦粒子甚至巴克球具有波動性的證據，用鐵一般的事實證明德布羅意的物質波理論正確無誤。

巴克球是由60個碳原子所組成的分子結構，化學式為C60，因為形狀類似建築學家理察．巴克明斯特．富勒所設計的圓頂建築，所以稱為巴克球。

我覺得跟
足球很像！

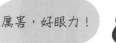

可見並不是我們看不見、弄不懂、或觀察不到的現象，就不存在。微觀的世界和我們生活中所見的景象相去甚遠，運作方式也和巨觀世界中我們習以為常的物理規則大不相同。

厲害，好眼力！

從西元前四世紀，亞里斯多德寫下第一本《物理學》到現在，物理的研究精益求精，已經深入原子內部的「次原子世界」，尋找萬「物」的道「理」。二十世紀後的量子力學提出許多不可思議、難以理解的理論。例如：在微觀世界裡所有事情都具有不確定性（不確定性原理）；電子和質子合起來形成原子，反電子和反質子合起來形成反原子（反物質理論）；又或者一隻貓可能同時是死的，又是活的（態疊加原理與平行宇宙）……

這些乍看之下怪死人不償命的理論，雖然無法運用生活經驗就能輕易理解，卻的確與我們一起並存在這個花花世界。幸好，這些事件通常適用於非常微小的領域，太陽還是每天東昇西落，我們還是每天起床、吃早餐、上學、和同學打球玩鬧……但是千萬別以為這些物理一點都不重要！別忘了物理學經常走在世界的前頭，領導改變人類的生活。這些奇妙的理論，已經在物理學上發酵、帶來變化，誰也難保它們不會在未來的什麼時候，澈底改變我們所習慣生活的世界，你說是不是？

快問快答

1 愛因斯坦怎麼會這麼天才！他的大腦是不是跟一般人的大腦不太一樣呢？

呵，我猜很多人都跟你有一樣的想法吧！以致於在1955年愛因斯坦過世的時候，負責幫他驗屍的病理學家哈維（Thomas Stoltz Harvey，1912-2007），偷偷的取出愛因斯坦的大腦，泡進福馬林裡固定、保存，然後切下240塊，分別封裝起來，送給好幾位頂尖的專家研究。

沒有人知道愛因斯坦生前是否答應哈維可以這麼做。至少可以確定的是，愛因斯坦的家人是在事後才知道，他們要求哈維要把研究結果發表在具有公信力的高水準期刊上，才答應不追究哈維的行為。

但是擅自偷走大腦還是很不名譽，所以哈維在學界的地位一落千丈，被醫院開除，甚至帶著愛因斯坦的大腦浪跡天涯，直到二十幾年以後，才被一名記者找到。

科學家原本以為，聰明的天才都會擁有一個巨型的大腦。但沒想到，愛因斯坦的腦並不大，甚至還比一般的男人小一點；他的大腦皺褶也不比平常人多，頂多就是較聚集在頭頂、負責空間感受的的「頂葉」位置，所以特別擅長空間影像或立體旋轉的思考。愛因斯坦的腦中神經膠細胞比一般人多，聯繫左腦和右腦功能的胼胝體也比較發達；但這些結果最多只是證明，過世前的愛因斯坦大腦比一般人「健康」！普通人只要像愛因斯坦一樣，習慣經常學習、鍛鍊思考，並且維持健康的生活，大腦結構都可能可以強化成像愛因斯坦一樣。因為人類的大腦非常具有可塑性，愛因斯坦可能是終生保持不斷思考的習慣，才塑造了那樣的大腦。

2 既然在我們日常生活中觀察不到量子層級的微觀現象，為什麼科學家還要研究量子力學呢？

我們在日常生活中的確觀察不到微觀的量子現象，但這並不代表我們在日常生活「用」不到與量子現象有關的技術、儀器和設備啊！
比方說，新型的LED燈就應用到量子點技術，雷射光的發明也與量子理論有關，電子顯微鏡利用電子的波粒二象性增加解析度，資訊領域的電腦專家們也開始研發新一代的量子電腦。
感謝科學家持續不斷的探索量子現象，應用量力力學的科技產品越來越多，讓我們的日常生活更加舒適與便利。

3 我終於看完這兩本書了！請問這可以幫助我，物理成績嚇嚇叫嗎？

嚇嚇叫的成績倒不見得，但能拉近你對物理的距離感應該是沒有問題的！每年都有一批學生進入國中，開始學習物理；但有時候，充斥著數學公式、定理、定律的物理，常使人感覺冷冰冰，想到物理就覺得死板，想到物理學家就認定非我族類、不感興趣。

但是讀過這兩本書以後，你終於可以用「人性」和「人類歷史」的角度來理解物理發展了！事實上，物理學家也是人，會受到人生的捉弄，也會在歷史中隨波逐流；他們都跟我們一樣是平常人，物理多了人的溫度，總是能幫助你多喜歡它一點，不是嗎？

LIS影音頻道

【自然系列—物理 | 光學04】

（光的粒子）牛頓的反擊（上）（下）

虎克認為，把光當成波，就可以完美解釋光的折射與反射了，牛頓卻不這麼認為。來瞧瞧牛頓如何解釋光的性質吧！

終於上完課了！以前這些只是在課本上提一下名字的科學家，好像變得親近許多……
原來科學的本質就是不斷提出假設、驗證、推翻……一次次不停重複，才終於得到「比較接近真實的結果」……
沒錯，幫助大家了解什麼是科學研究的精神，以及科學演進的真面目，就是我們設計這二十課最重要的目的喔！
太好玩了！
下課了！祝你們以後讀物理，越讀越有興趣喔。
下次會改上什麼科學史呢？敬請期待喔！

附錄1

本套書與十二年國民基本教育
自然領域課綱學習內容對應表

物理是一門研究物質特性與相互作用、運動規律、能量，乃至時間與空間關係的基礎科學，更連結了化學、數學、地球科學，乃至醫學等許多跨領域的科學研究。本套書主要介紹物理理論的演進脈絡，以及眾多科學家不畏艱難、前仆後繼探究真理的研究歷程，特別適合國小高年級及國中階段的孩子閱讀，亦可與學校課程相互配搭，必可獲得前所未有的學習樂趣。

國民小學教育階段高年級（5~6年級）

課綱主題	跨科概念	能力指標編碼及主要內容	對應內容
自然界的組成與特性	物質與能量（INa）	INa-Ⅲ-1 物質是由微小的粒子所組成，而且粒子不斷的運動。	下冊 - 潛熱與分子運動：P53~54 熱動說：P66
		INa-Ⅲ-2物質各有不同性質，有些性質會隨溫度而改變。	下冊 - 高溫超導體：P91
		INa-Ⅲ-4 空氣由各種不同氣體所組成，空氣具有熱脹冷縮的性質。氣體無一定的形狀與體積。	下冊 - 水分子三態的運動：P54
		INa-Ⅲ-5 不同種類的能源與不同形態的能量可以相互轉換，但總量不變。	下冊 - 能量守恆：P105~118
		INa-Ⅲ-6 能量可藉由電流傳遞、轉換而後為人類所應用。利用電池等設備可以儲存電能再轉換成其他能量。	下冊 - 萊頓瓶儲存電力：P31 電磁轉動與電動機雛形：P99
		INa-Ⅲ-8 熱由高溫處往低溫處傳播，傳播的方式有傳導、對流和輻射，生活中可運用不同的方法保溫與散熱。	下冊 - 傅立葉熱傳導：P85
	構造與功能（INb）	INb-Ⅲ-1 物質有不同的構造與功用。	上冊 - 亞里斯多德四元素理論：P24
		INb-Ⅲ-3 物質表面的結構與性質不同，其可產生的摩擦力不同、摩擦力會影響物體運動的情形。	上冊 - 慣性與摩擦力：P71 下冊 - 庫倫的摩擦力研究：P38
		INb-Ⅲ-4 力可藉由簡單機械傳遞。	上冊 - 古代斜面利用：P19~20 阿基米德槓桿原理：P38

課綱主題	跨科概念	能力指標編碼及主要內容	對應內容
	系統與尺度（INc）	INc-Ⅲ-1 生活及探究中常用的測量工具和方法。	上冊 - 計時器：P119~123、126 下冊 - 溫度計與潛熱研究：P46~52 檢流計：P101
		INc-Ⅲ-2 自然界或生活中有趣的最大或最小的事物（量），事物大小宜用適當的單位來表示。	下冊 - 光速：P130
		INc-Ⅲ-3 本量與改變量不同，由兩者的比例可評估變化的程度。	上冊 - 彈簧的伸長量與力：P124~125 下冊 - 溫度變化與熱：P48~51
		INc-Ⅲ-5 力的大小可由物體的形變或運動狀態的改變程度得知。	上冊 - 彈簧的伸長量與力：P124~125
		INc-Ⅲ-6 運用時間與距離可描述物體的速度與速度的變化。	上冊 - 自由落體的時間比較：P62 斜面實驗中距離與時間的關係：P64~69
自然界的現象、規律與作用	改變與穩定（INd）	INd-Ⅲ-2 人類可以控制各種因素來影響物質或自然現象的改變，改變前後的差異可以被觀察，改變的快慢可以被測量與了解。	上冊 - 光線直線前進：P52~53 大氣壓力：P95~98 虎克定律：P125 下冊 - 歐姆定律：P84~88
		INd-Ⅲ-3地球上的物體（含生物和非生物）均會受地球引力的作用，地球對物體的引力就是物體的重量。	上冊 - 地球引力：P50
		INd-Ⅲ-13 施力可使物體的運動速度改變，物體受多個力的作用，仍可能保持平衡靜止不動，物體不接觸也可以有力的作用。	上冊 - 吉爾伯特區分電與磁：P82~83 萬有引力：P146~148
	交互作用（INe）	INe-Ⅲ-3 燃燒是物質與氧劇烈作用的現象，燃燒必須同時具備可燃物、助燃物、並達到燃點等三個要素。	下冊 - 燃燒元素與熱質說：P58
		INe-Ⅲ-7 陽光是由不同色光組成。	上冊 - 彩虹、陽光與三稜鏡研究：P127~136
		INe-Ⅲ-8 光會有折射現象，放大鏡可聚光和成像。	上冊 - 托勒密光線折射：P49 海什木《光學書》：P54 折射定律：P101~114 陽光折射與色光：P129~130、P134~136 下冊 - 凸透鏡聚光：P132
		INe-Ⅲ-9 地球有磁場，會使指北針指向固定方向。	上冊 - 地磁：P75~76、P78~81
		INe-Ⅲ-10 磁鐵與通電的導線皆可產生磁力，使附近指北針偏轉。改變電流方向或大小，可以調控電磁鐵的磁極方向或磁力大小。	下冊 - 電生磁：P67~80 電流扭秤：P87 電磁轉動與電磁感應：P97~102
自然界的永續發展	科學與生活（INf）	INf-Ⅲ-1 世界與本地不同性別科學家的事蹟與貢獻。	上下兩冊全
		INf-Ⅲ-2 科技在生活中的應用與對環境與人體的影響。	上冊 - 工業革命與熱學研究：P45 大氣壓力應用：P100 下冊 - 微波爐：P66 電學影響：P83、P102 量子現象應用：P147
		INf-Ⅲ-6 生活中的電器可以產生電磁波，具有功能但也可能造成傷害。	下冊 - 生活中的磁場與電磁波：P79~80

國民中學教育階段（7-9年級）

課綱主題	跨科概念	能力指標編碼及主要內容	對應內容
物質的組成與特性（A）	物質的形態、性質與分類（Ab）	Ab-IV-1 物質的粒子模型與物質三態。	下冊 - 物質三態與潛熱：P53~54
		Ab-IV-2 溫度會影響物質的狀態。	下冊 - 布萊克熱學實驗：P49~50
		Ab-IV-3 物質的物理性質與化學性質。	下冊 - 導體與絕緣體：P24~25
能量的形態與流動	能量的形態與轉換（Ba）	Ba-IV-1能量有不同形式，例如：動能、熱能、光能、電能、化學能等，而且彼此之間可以轉換。孤立系統的總能量會維持定值。	下冊 - 能量守恆：P105~P118
		Ba-IV-5 力可以作功，作功可以改變物體的能量。	下冊 - 運動、功與熱：P112~114、P118
	溫度與熱量（Bb）	Bb-IV-1 熱具有從高溫處傳到低溫處的趨勢。	下冊 - 傅立葉熱傳導：P85
		Bb-IV-2透過水升高溫度所吸收的熱能定義熱量單位。	下冊 - 卡路里：P64、 焦耳提出熱功當量:P113~114
		Bb-IV-3 不同物質受熱後，其溫度的變化可能不同，比熱就是此特性的定量化描述。	下冊 - 布爾哈夫難題：P48 布萊克提出比熱：P51
		Bb-IV-5 熱會改變物質形態，例如：狀態產生變化、體積發生脹縮。	上冊 - 氣象中的高低壓：P99 下冊 - 驗溫器原理：P46
物質系統（E）	自然界的尺度與單位（Ea）	Ea-IV-1 時間、長度、質量等為基本物理量，經由計算可得到密度、體積等衍伸物理量。	上冊 - 質量與重量的區別：P147
		Ea-IV-2 以適當的尺度量測或推估物理量，例如：奈米到光年、毫克到公噸、毫升到立方公尺等。	下冊 - 光年：P129
		Ea-IV-3 測量時可依工具的最小刻度進行估計。	上冊 - 卡文迪西控制誤差：P151 下冊 - 庫倫的誤差：P39
	力與運動（Eb）	Eb-IV-1 力能引發物體的移動或轉動。	上冊 - 亞里斯多德力學理論：P24~26 浮力：P36 力改變物體速度：P69 摩擦力和空氣阻力：p71 彈力：P124~125
		Eb-IV-5 壓力的定義與帕斯卡原理。	上冊 - 大氣壓力：P87~101
		Eb-IV-6 物體在靜止液體中所受浮力，等於排開液體的重量。	上冊 - 阿基米德浮力原理：P35~37
		Eb-IV-7 簡單機械，例如：槓桿、滑輪、輪軸、齒輪、斜面，通常具有省時、省力，或者是改變作用力方向等功能。	上冊 - 古代斜面利用：P19~20 阿基米德槓桿原理：P38
		Eb-IV-8 距離、時間及方向等概念可用來描述物體的運動。	上冊 - 自由落體的時間比較：P62 斜面實驗中的距離與時間關係：P64~69
		Eb-IV-10 物體不受力時，會保持原有的運動狀態。	上冊 - 慣性：P69、P71

課綱主題	跨科概念	能力指標編碼及主要內容	對應內容
		Eb-IV-11 物體做加速度運動時，必受力。以相同的力量作用相同的時間，則質量越小的物體其受力後造成的速度改變越大。	上冊 - 慣性：P69、P71
		Eb-IV-12 物體的質量決定其慣性大小。	上冊 - 萬有引力：P147~148、P150~151
		Eb-IV-13 對於每一作用力都有一個大小相等、方向相反的反作用力。	上冊 - 反作用力：P147
	氣體（Ec）	Ec-IV-1 大氣壓力是因為大氣層中空氣的重量所造成。	上冊 - 托里切利真空與帕斯卡實驗：P91~96
		Ec-IV-2 定溫下，定量氣體在密閉容器內，其壓力與體積的定性關係。	上冊 - 波以耳定律：P124
地球環境（F）	地球與太空（Fb）	Fb-IV-1 太陽系由太陽和行星組成，行星均繞太陽公轉。	上冊 - 日心說演變：P142
物質的反應、平衡與製造（J）	物質反應規律（Ja）	Ja-IV-1 化學反應中的質量守恆定律	上冊 - 質量守恆：P117
自然界的現象與交互作用（K）	波動、光及聲音（Ka）	Ka-IV-6 由針孔成像、影子實驗驗證與說明光的直進性。	上冊 - 針孔成像：P52~53、P55~56
		Ka-IV-7 光速的大小和影響光速的因素。	上冊 - 折射與介質：P110~P112 下冊 - 測定光速：P126、P128 光速在不同介質中的速度：P127 使光變慢與停止：P131
		Ka-IV-8 透過實驗探討光的反射與折射規律。	上冊 - 反射定律：103~104 折射定律：105~114
		Ka-IV-9 生活中有許多運用光學原理的實例或儀器，例如：透鏡、面鏡、眼睛、眼鏡及顯微鏡等。	下冊 - 光學實驗利用透鏡與面鏡：P132
		Ka-IV-10 陽光經過三稜鏡可以分散成各種色光。	上冊 - 彩虹、陽光與三稜鏡研究：P127~136
	萬有引力（Kb）	Kb-IV-1 物體在地球或月球等星體上因為星體的引力作用而具有重量、物體之質量與其重量是不同的物理量。	上冊 - 質量與重量：P147 引力大小影響重量：P150
		Kb-IV-2 帶質量的兩物體之間有重力，例如：萬有引力，此力大小與兩物體各自的質量成正比、與物體間距離的平方成反比。	上冊 - 萬有引力：P147~148
	電磁現象（Kc）	Kc-IV-1摩擦可以產生靜電，電荷有正負之別。	上冊 - 摩擦生電：P76~77、P84~85 下冊 - 杜費將電區分為兩種：P25~26
		Kc-IV-2靜止帶電物體之間有靜電力，同號電荷會相斥，異號電荷則會相吸。	下冊 - 靜電的相吸相斥：P22~26
		Kc-IV-3磁場可以用磁力線表示，磁力線方向即為磁場方向，磁力線越密處磁場越大。	下冊 - 法拉第發明磁力線：P103
		Kc-IV-4電流會產生磁場，其方向分布可以由安培右手定則求得。	下冊 - 厄斯特發現電流磁效應：P74~75 安培右手定則：P76、P78

課綱主題	跨科概念	能力指標編碼及主要內容	對應內容
		Kc-IV-5載流導線在磁場會受力，並簡介電動機的運作原理。	下冊 - 電動機雛形：P99
		Kc-IV-6環形導線內磁場變化，會產生感應電流。	下冊 - 法拉第發現電磁感應：P101~102
		Kc-IV-7電池連接導體形成通路時，多數導體通過的電流與其兩端電壓差成正比，其比值即為電阻。	下冊 - 歐姆定律：P81~95
		Kc-IV-8電流通過帶有電阻物體時，能量會以發熱的形式逸散。	下冊 - 焦耳解釋電流產熱：P111
科學、科技、社會與人文（M）	科學發展的歷史（Mb）	Mb-IV-2 科學史上重要發現的過程，以及不同性別、背景、族群者於其中的貢獻。	上下兩冊全
	科學在生活中的應用（Mc）	Mc-IV-3生活中對各種材料進行加工與運用。	下冊 - 溫度計演進：P52 超導體利用：P91
		Mc-IV-6用電安全常識，避免觸電和電線走火。	下冊 - 電線短路：P91~92
從原子到宇宙（跨科主題）	自然界的尺度與單位(Ea) 細胞的構造與功能（Da） 生物圈的組成(Fc) 地球與太空(Fb)	INc-IV-1宇宙間事、物的規模可以分為微觀尺度 及巨觀尺度。	下冊 - 次原子世界：P139~145 光年：P131
能量與能源（跨科主題）	能量的形式與轉換（Ba） 溫度與熱量（Bb） 生物體內的能量與代謝（Bc） 生態系中能量的流動與轉換（Bd） 科學、技術及社會的互動關係（Ma） 科學在生活中的應用（Mc） 永續發展與資源的利用（Na） 能源的開發與利用（Nc）	INa-IV-1 能量有多種不同的形式。	下冊 - 謝林關於能量的自然哲學：P73 能量守恆：P105~118
		INa-IV-2 能量之間可以轉換，且會維持定值。	下冊 - 能量守恆：P105~118
		INa-IV-3 科學的發現與新能源，及其對生活與社會的影響。	下冊： - 工業革命與熱學研究：P45 電學影響：P83、P102 量子現象應用：P147

依筆畫、注音順序、字數排列

十三畫

十四畫

十五畫

十六畫

十七畫

十八畫

十九畫

二十一畫

二十三畫

二十五畫

圖片來源

Wikipedia維基百科提供：

P20、22、27、31、32、33、35、47、48、49、57（右）、58、59、60、61、63、70、71、72、73、75、76、84、85、89、96、97、98、99、104、108、110、112、113、115、124、125、136、138、139、140、144

Shutterstock圖庫提供：

P57（左）

(少年知識家)

科學史上最有梗的20堂物理課（下）
40部LIS影片 讓你秒懂物理

作者｜胡妙芬
總監修｜LIS情境科學教材
繪者｜陳彥伶
責任編輯｜戴淳雅
美術設計｜陳彥伶
行銷企劃｜陳雅婷

發行人｜殷允芃
創辦人兼執行長｜何琦瑜
總經理｜袁慧芬
副總經理｜林彥傑
總監｜林欣靜
版權專員｜何晨瑋、黃微真

出版者｜親子天下股份有限公司
地址｜台北市104建國北路一段96號4樓
電話｜（02）2509-2800　傳真｜（02）2509-2462
網址｜www.parenting.com.tw
讀者服務專線｜（02）2662-0332　週一～週五：09:00~17:30
傳真｜（02）2662-6048　客服信箱｜bill@service.cw.com.tw
法律顧問｜台英國際商務法律事務所・羅明通律師
製版印刷｜中原造像股份有限公司
總經銷｜大和圖書有限公司　電話：（02）8990-2588
出版日期｜2020年9月第一版第一次印行
定價｜400元
書號｜BKKKC156P
ISBN｜978-957-503-651-5（平裝）

訂購服務
親子天下Shopping｜shopping.parenting.com.tw
海外・大量訂購｜parenting@service.cw.com.tw
書香花園｜台北市建國北路二段6巷11號　電話（02）2506-1635
劃撥帳號｜50331356　親子天下股份有限公司

國家圖書館出版品預行編目資料

科學史上最有梗的20堂物理課：40部LIS影片讓你秒懂物理 / 胡妙芬作；陳彥伶繪；LIS情境科學教材總監修
-- 第一版. -- 臺北市：親子天下, 2020.09
下冊 ;18.5*24.5公分
ISBN 978-957-503-650-8(上冊：平裝). --
ISBN 978-957-503-651-5(下冊：平裝)
1.物理學 2.通俗作品

330　109010462